NOUVEAUX CLASSIQUES LAROUSSE

Collection fondée en 1933 par
FÉLIX GUIRAND

continuée par
LÉON LEJEALLE (1949 à 1968) et JEAN-POL CAPUT (1969 à 1972)
Agrégés des Lettres

BÉRÉNICE

tragédie

JE SÈME À TOUT VENT

Librairie Larousse (Canada) limitée, propriétaire pour le Canada des droits d'auteur et des marques de commerce Larousse. – Distributeur exclusif au Canada : les Éditions Françaises Inc., licencié quant aux droits d'auteur et usager inscrit des marques pour le Canada.

Phot. Rapho.

L'ARC DE TITUS

Au fond, le Colisée.

RACINE

BÉRÉNICE

tragédie

avec une Notice biographique, une Notice historique et littéraire, un Lexique, des Notes explicatives, une Documentation thématique, des Jugements, un Questionnaire et des Sujets de devoirs,

par
LÉON LEJEALLE
Agrégé des Lettres

LIBRAIRIE LAROUSSE
17, rue du Montparnasse, et boulevard Raspail, 114
Succursale : 58, rue des Écoles (Sorbonne)

RÉSUMÉ CHRONOLOGIQUE DE LA VIE DE RACINE 1639-1699

1639 — **Jean Racine,** fils de Jean Racine, greffier du grenier à sel et procureur, et de Jeanne Sconin, est tenu sur les fonts baptismaux, le 22 décembre, à La Ferté-Milon, par Pierre Sconin, son grand-père maternel, et par Marie des Moulins, sa grand-mère paternelle.

1641 — Mort de la mère de Racine (28 janvier).

1643 — Son père meurt (6 février), ne laissant que des dettes; Racine est alors recueilli par sa grand-mère des Moulins, dont la fille Agnès (née en 1626) devait devenir abbesse de Port-Royal sous le nom de « Mère Agnès de Sainte-Thècle ».

1644-1645 — Le jeune Racine est recueilli à Port-Royal, sur les instances de la Mère Agnès.

1649-1653 — A la mort de son mari, en 1649, Marie des Moulins prend le voile à Port-Royal; Racine est élève aux **Petites Écoles de Port-Royal.**

1654-1655 — Racine est envoyé dans un collège parisien, nommé « collège de Beauvais ».

1655-1658 — Racine est rappelé à l'**école des Granges,** à Port-Royal, où il reçoit une forte **culture grecque,** sous la direction de Lancelot, et **latine,** sous celle de Nicole, tandis que M. Le Maître forme son goût et sa sensibilité littéraires.

1658 — Racine va faire une année de logique au collège d'Harcourt, à Paris.

1659-1661 — Racine, à Paris, retrouve Nicolas Vitard, cousin germain de son père et secrétaire du duc de Luynes, janséniste austère; il rencontre La Fontaine, avec qui il restera lié. Anxieux de plaire et de réussir, il sollicite les conseils poétiques de Chapelain, de Perrault. Il publie, en 1660, *la Nymphe de la Seine*, ode sur le mariage du roi, qui lui vaut une gratification de 100 louis.

1661 — Déçu par le refus de deux pièces de théâtre qu'il vient d'écrire, Racine se rend à **Uzès** (novembre), auprès de son oncle, le chanoine Sconin, vicaire général, dans l'espoir d'obtenir un bénéfice ecclésiastique. Il mène une vie austère, s'applique à la dévotion et s'ennuie.

1663 — N'ayant rien obtenu d'important à Uzès, Racine, déçu, revient à Paris, où il compose une ode *Sur la convalescence du roi*, puis *la Renommée aux Muses*, ode qui lui vaudra, deux ans plus tard, de figurer sur la première liste officielle de gratifications pour 600 livres. **Il se lie avec Boileau;** c'est le début d'une longue et sincère amitié.

***

1664 — *La Thébaïde*, tragédie jouée par Molière au Palais-Royal, sans grand succès, marque les débuts de Racine à la scène (20 juin).

1665 — *Alexandre*, tragédie, obtient un vif succès au Palais-Royal, théâtre de Molière (4 décembre); Racine, quelques jours après, la retire et la donne, le 18, à l'Hôtel de Bourgogne. Racine **se brouille avec Molière** et passe pour un froid ambitieux, « capable de tout ».

1666 — Racine, ripostant aux *Visionnaires* de Nicole par deux âpres *Lettres* — dont une seule est publiée —, rompt avec Port-Royal (janvier). « Racine est maintenant un isolé, entouré de la réprobation générale » (A. Adam).

1667 — Racine fréquente le cercle d'Henriette d'Angleterre; lié à la Du Parc, il fait jouer, le 17 novembre, la tragédie d'***Andromaque.***

1668 — ***Les Plaideurs,*** comédie (novembre).

1669 — ***Britannicus,*** tragédie (13 décembre). Racine s'oppose à Corneille.

 ISBN 2-03-034781-7

1670 — Racine mène une vie assez agitée. Il fréquente chez Mme de Montespan. Le 21 novembre, sa tragédie ***Bérénice*** est représentée.

1672 — ***Bajazet,*** tragédie (janvier).

1673 — ***Mithridate,*** tragédie (début janvier). Le 12, Racine est reçu à l'Académie française, où cependant le parti des Modernes recueillait la majorité. Il vit dans une confortable aisance.

1674 — ***Iphigénie en Aulide,*** tragédie (18 août). — La même année, Racine est nommé trésorier de France en la généralité des finances de Moulins : il en touche un traitement considérable, est anobli, sa noblesse étant transmissible. Racine, en rivalité avec Pradon, partisan de Corneille, cabale contre lui avec succès par deux fois.

1677 — ***Phèdre,*** tragédie, présentée en même temps qu'une tragédie de Pradon sur le même sujet (1er janvier). Une suite de sonnets, contradictoires et injurieux, circule. Condé apaise difficilement l'affaire.

En même temps, Racine **se réconcilie** officiellement **avec Port-Royal;** sa « conversion » est sincère, certaine, mais sans paraître soudaine : il avait amorcé la réconciliation longtemps auparavant.

Le 30 mai, Racine épouse Catherine de Romanet, riche bourgeoise parisienne, dont il aura sept enfants; Condé, Colbert, le duc de Luynes et plusieurs membres de la famille Lamoignon assistent, comme témoins, à la signature du contrat. En automne de la même année, Racine est nommé **historiographe du roi,** avec Boileau : l'un et l'autre doivent se consacrer tout entiers à leur nouvelle fonction. Il devient également conseiller du roi.

***

1678 — Racine et Boileau accompagnent le roi dans sa campagne contre Gand et Ypres (mars). Racine s'introduit parmi les amis de Mme de Maintenon.

1683 — Racine et Boileau accompagnent le roi en Alsace.

1685 — Racine, directeur de l'Académie française, reçoit Thomas Corneille, succédant à son frère et fait l'éloge de Pierre Corneille (janvier).

1687 — Racine accompagne le roi au Luxembourg.

1689 — Première représentation d'***Esther,*** pièce sacrée **commandée par Mme de Maintenon** pour les « demoiselles de Saint-Cyr » (26 janvier).

1690 — Racine est nommé « gentilhomme ordinaire du roi » (décembre), charge qui, en 1693, devient héréditaire par faveur insigne.

1691 — Représentation, à Saint-Cyr, d'***Athalie*** (janvier).

1691-1693 — Racine accompagne le roi aux sièges de Mons et de Namur.

1692 — Naissance de Louis Racine, septième et dernier enfant de Racine (2 novembre).

1693 — Racine commence l'*Abrégé de l'histoire de Port-Royal.*

1696 — Racine est nommé conseiller-secrétaire du roi (février).

1697-1698 — Les relations de Racine avec le roi et avec Mme de Maintenon se refroidissent quelque peu, sans que l'on puisse préciser avec certitude la raison et l'importance de cette demi-disgrâce.

1698 (printemps) — Racine tombe malade : les médecins parlent d'une tumeur.

1699 — **Mort** de Racine à Paris (21 avril). Conformément à son vœu, il est **enterré à Port-Royal.**

1711 — Les cendres de Racine, ainsi que celles de Pascal, sont transférées à Saint-Etienne-du-Mont (2 décembre).

Racine avait trente-trois ans de moins que Corneille; dix-huit ans de moins que La Fontaine; dix-sept ans de moins que Molière; treize ans de moins que Mme de Sévigné; douze ans de moins que Bossuet; trois ans de moins que Boileau; six ans de plus que La Bruyère; douze ans de plus que Fénelon; dix-huit ans de plus que Fontenelle et trente-six ans de plus que Saint-Simon.

RACINE ET SON TEMPS

	la vie et l'œuvre de Racine	le mouvement intellectuel et artistique	les événements historiques
1639	Naissance de Jean Racine à La Ferté-Milon (22 décembre).	Fr. Mainard : *Odes*. G. de Scudéry : *Eudoxe*, tragi-comédie. Vélasquez : *Crucifixion*.	Paix de Berwick entre l'Ecosse et l'Angleterre. Révolte des « va-nu-pieds » en Normandie.
1655	Fréquentation de l'école des Granges, à Port-Royal.	Molière : représentation de *l'Étourdi* à Lyon. Pascal se retire à Port-Royal des Champs (janvier).	Négociations avec Cromwell pour obtenir l'alliance anglaise contre l'Espagne.
1658	Départ de Port-Royal ; une année de logique au collège d'Harcourt.	Arrivée de Molière à Paris; il occupe la salle du Petit-Bourbon.	Victoire des Dunes sur les Espagnols. Mort d'Olivier Cromwell.
1660	Ode sur *la Nymphe de la Seine*, pour le mariage de Louis XIV.	Molière : *Sganarelle ou le Cocu imaginaire*. Quinault : *Stratonice* (tragédie). Bossuet prêche le carême aux Minimes.	Mariage de Louis XIV et de Marie-Thérèse d'Autriche. Restauration des Stuarts.
1661	Voyage à Uzès.	Molière : *l'École des maris* ; *les Fâcheux*. La Fontaine : *Élégie aux nymphes de Vaux*.	Mort de Mazarin (8 mars). Arrestation de Fouquet (5 septembre).
1663	Retour à Paris. Odes: *la Convalescence du roi; la Renommée aux Muses*.	Corneille : *Sophonisbe*. Molière : *la Critique de « l'École des femmes »*.	Invasion de l'Autriche par les Turcs.
1664	*La Thébaïde*.	Corneille : *Othon*. Molière : *le Mariage forcé*. Interdiction du premier *Tartuffe*.	Condamnation de Fouquet après un procès de quatre ans.
1665	*Alexandre*. Brouille avec Molière.	La Fontaine : *Contes et Nouvelles*. Mort du peintre N. Poussin.	Peste de Londres.
1666	Lettres contre Port-Royal.	Corneille : *Agésilas*. Molière : *le Misanthrope; le Médecin malgré lui*. Boileau : *Satires* (I à VI). Furetière : *le Roman bourgeois*. Fondation de l'Académie des sciences.	Alliance franco-hollandaise contre l'Angleterre. Mort d'Anne d'Autriche. Incendie de Londres.
1667	*Andromaque*.	Corneille : *Attila*. Milton : *le Paradis perdu*. Naissance de Swift.	Conquête de la Flandre par les troupes françaises (guerre de Dévolution).

1668	*Les Plaideurs.*	Molière : *Amphitryon* ; *George Dandin* ; *l'Avare*. La Fontaine : *Fables* (livres I à VI). Mort du peintre Mignard.	Fin de la guerre de Dévolution : traités de Saint-Germain et d'Aix-la-Chapelle. Annexion de la Flandre.
1669	*Britannicus.*	Molière : représentation du *Tartuffe*. Th. Corneille : *la Mort d'Annibal*. Bossuet : *Oraison funèbre d'Henriette de France*.	
1670	*Bérénice.*	Corneille : *Tite et Bérénice*. Molière : *le Bourgeois gentilhomme*. Édition des *Pensées* de Pascal. Mariotte découvre la loi des gaz.	Mort de Madame. Les États de Hollande nomment Guillaume d'Orange capitaine général.
1672	*Bajazet.*	P. Corneille: *Pulchérie*. Th. Corneille: *Ariane*. Molière : *les Femmes savantes*.	Déclaration de guerre à la Hollande. Passage du Rhin (juin).
1673	*Mithridate*. Réception à l'Académie française.	Mort de Molière. Premier grand opéra de Lully : *Cadmus et Hermione*.	Conquête de la Hollande. Prise de Maestricht (29 juin).
1674	*Iphigénie en Aulide.*	Corneille : *Suréna* (dernière tragédie). Boileau : *Art poétique*. Pradon : *Pyrame et Thisbé*, tragédie. Malebranche : *De la recherche de la vérité*.	Occupation de la Franche-Comté par Louis XIV. Victoires de Turenne à Entzheim sur les Impériaux, et de Condé à Seneffe, sur les Hollandais.
1677	*Phèdre*. Nommé historiographe du roi, il renonce au théâtre. Mariage.	Spinoza : *Éthique*. Newton découvre le calcul infinitésimal et Leibniz le calcul différentiel.	Victoires françaises en Flandre (prise de Valenciennes, Cambrai). Début des négociations de Nimègue.
1683	En Alsace avec le roi et les armées.	Quinault : *Phaéton*, opéra. Fontenelle : *Dialogues des morts*. P. Bayle: *Pensées sur la comète*.	Mort de Colbert. Hostilités avec l'Espagne : invasion de la Belgique par Louis XIV. Victoire de J. Sobieski sur les Turcs.
1689	*Esther.*	Fénelon, précepteur du duc de Bourgogne. Bossuet : *Avertissements aux protestants*.	Guerre de la ligue d'Augsbourg : campagne du Palatinat.
1691	*Athalie.*	Campistron : *Tiridate*, tragédie. Dancourt : *la Parisienne*, comédie.	Mort de Louvois. Prise de Nice et invasion du Piémont par les Français.
1699	Mort de Racine (21 avril) à Paris.	Dufresny : *Amusements sérieux et comiques*. Fénelon : *Aventures de Télémaque*.	Condamnation du quiétisme.

BIBLIOGRAPHIE SOMMAIRE

OUVRAGES GÉNÉRAUX SUR RACINE

François Mauriac — *la Vie de Jean Racine* (Paris, Plon, 1928).

Pierre Moreau — *Racine, l'homme et l'œuvre* (Paris, Boivin-Hatier, 1943).

Antoine Adam — *Histoire de la littérature française au XVIIe siècle*, tome IV (Paris, Domat, 1954).

Raymond Picard — *la Carrière de Jean Racine* (Paris, Gallimard, 1956).

Lucien Goldmann — *le Dieu caché. Étude sur la vision tragique dans les « Pensées » de Pascal et dans le théâtre de Racine* (Paris, Gallimard, 1956).

Maurice Descotes — *les Grands Rôles du théâtre de Racine* (Paris, P. U. F., 1957).

Roland Barthes — *Sur Racine* (Paris, Ed. du Seuil, 1963).

OUVRAGES SPÉCIAUX SUR « BÉRÉNICE »

Gustave Michaut — *la Bérénice de Racine* (Paris, Société française d'imprimerie et de librairie, 1907).

Léon Herrmann — *Vers une solution du problème des deux Bérénices* (Mercure de France, 15 avril 1928).

OUVRAGES SUR LA LANGUE CLASSIQUE

Jean-Pol Caput — *la Langue française, histoire d'une institution*, tome I (842-1715) [Paris, Larousse, collection L, 1972].

Jean Dubois, René Lagane et A. Lerond — *Dictionnaire du français classique* (Paris, Larousse, 1971).

Vaugelas — *Remarques sur la langue française* (Paris, Larousse, « Nouveaux Classiques », 1969).

BÉRÉNICE
1670

NOTICE

CE QUI SE PASSAIT EN 1670

■ ***EN POLITIQUE*** : *Madame, duchesse d'Orléans, négocie à Douvres une alliance secrète contre la Hollande entre Charles II, roi d'Angleterre, son frère, et Louis XIV, son beau-frère. Les États de Hollande nomment capitaine général Guillaume, prince d'Orange. Mort de Madame (30 juin).*

■ ***EN LITTÉRATURE*** : Oraison funèbre de Madame, *par Bossuet, prononcée à Saint-Denis (21 août).* Traité théologico-politique *de Spinoza. Publication des* Pensées *de Pascal.* Au théâtre : les Amants magnifiques, *de Molière, à Saint-Germain (févr.). Première représentation du* Bourgeois gentilhomme, *de Molière, à Chambord (14 oct.). Débuts de la Champmeslé dans le rôle d'Hermione* d'Andromaque; *Racine s'en éprend.* Tite et Bérénice, *de Corneille, au Palais-Royal (28 nov.).*

■ ***DANS LES SCIENCES ET DANS LES ARTS*** : *Ruysdaël,* le Cimetière juif. *Nocret,* la Famille royale de France sous la forme de divinités mythologiques. *Nanteuil,* Portrait de Colbert. *Fondation de l'hôtel des Invalides. Mansard édifie la façade du château de Versailles sur les jardins. Colbert se fait construire son château de Sceaux. Le physicien hollandais Huygens adapte le ressort spiral aux montres. Le physicien français Mariotte découvre la loi des gaz.*

REPRÉSENTATIONS DE « BÉRÉNICE »

La première représentation de *Bérénice* eut lieu le 21 novembre 1670, sur le théâtre de l'Hôtel de Bourgogne : la Champmeslé y tenait le premier rôle. Tous les témoignages de l'époque concordent pour affirmer que la pièce fut un succès de larmes. Le public féminin fut particulièrement sensible à une intrigue où se prodigue tant de tendresse (voir Jugements, Lettres de Mme Bossuet). Mais de grands seigneurs, comme le prince de Condé, étaient aussi des admirateurs enthousiastes de *Bérénice;* Louis XIV lui-même y prit plaisir, et c'est à juste titre que, dans la préface de janvier 1671, Racine se félicitait de l'accueil fait à sa nouvelle tragédie.

Racine pouvait se juger d'autant plus satisfait que Corneille lui avait fait une sérieuse concurrence. Huit jours après la première représentation de *Bérénice*, la troupe du Palais-Royal, dirigée par Molière, commença à donner *Tite et Bérénice*, de Corneille (28 novembre 1670). Et, contrairement à ce qu'on a souvent raconté, la pièce de Corneille connut un certain succès; elle fut représentée plus de vingt fois, chiffre très honorable pour l'époque, et on la jouait encore en janvier 1671. Mais Racine put avoir l'impression de l'emporter sur son vieux rival, puisque sa *Bérénice* faisait encore salle comble à sa trentième représentation. Les polémiques, que la rivalité des deux poètes ne pouvait manquer de susciter, contribuaient d'ailleurs à alimenter la curiosité du public.

Pendant toute la fin du XVIIe siècle, on continua à apprécier *Bérénice*, du moins tant que la Champmeslé y tint le premier rôle; c'est néanmoins, de toutes les tragédies de Racine, celle qui fut alors le moins jouée. Au XVIIIe siècle, des comédiennes de talent, Mlle Lecouvreur (1724), Mlle Gaussin (1753), maintinrent la réputation de la pièce. Malgré Voltaire, qui jugeait *Bérénice* une tragédie « à l'eau-rose », et malgré Rousseau[1], qui regrettait que les « faiblesses de l'amour » y fussent dominées par la raison, l'âme sensible du public se laisse alors aisément attendrir par les malheurs de Titus et de Bérénice.

Le XIXe siècle romantique fut encore plus cruel pour *Bérénice* que pour les autres tragédies de Racine : le petit nombre de personnages, le dépouillement de l'action étaient aisément critiquables pour les partisans du drame. Ce n'est qu'en 1893 que *Bérénice* fut reprise à la Comédie-Française : l'interprétation de Julia Bartet contribua à remettre la pièce en honneur. De 1680 à 1966, *Bérénice* a été jouée 419 fois à la Comédie-Française.

LA QUERELLE DE « BÉRÉNICE » : CORNEILLE ET RACINE

Ce n'est assurément pas par hasard que Corneille et Racine ont, au même moment, proposé au public le même sujet de tragédie; ce genre de « duels » n'est d'ailleurs pas rare à l'époque. Racine en connaîtra dans les années suivantes deux autres du même genre : son *Iphigénie* sera concurrencée par celle de Le Clerc et Coras, sa *Phèdre* par celle de Pradon. Il semble que le public de l'époque ait été assez friand de ces compétitions et qu'il se soit toujours trouvé des gens avisés pour prévenir les poètes sur les intentions de leurs rivaux.

Quel est, dans le cas de *Bérénice*, celui des deux poètes qui marcha sur les brisées de l'autre? Fontenelle, toujours soucieux de la réputation de son oncle Corneille, raconte que Madame (Henriette d'Angleterre) avait, avant sa mort (30 juin 1670), proposé en même

1. Voir Jugements.

temps aux deux écrivains le même thème. La vérité est assez différente : si l'on se réfère à l'abbé Du Bos et à Louis Racine, dont les témoignages s'appuient sur les dires de Boileau, il apparaît que Madame a bien imposé le sujet de *Bérénice* à Racine, auquel elle avait déjà donné maintes preuves de son agissante protection[1]. Mais Corneille, prévenu par ses amis des projets de Racine[2], prit l'initiative de livrer bataille. Le vieux poète gardait, à soixante-cinq ans, une humeur aussi combative qu'au temps où il provoquait la querelle du *Cid* en défiant ses rivaux[3]; il est vrai qu'il ne pouvait se faire d'illusions sur les intentions de Racine. Celui-ci ne dissimulait pas son ambition d'imposer aux spectateurs une forme de tragédie qui fût différente de celle de Corneille, et, par là, de détourner définitivement le public de celui qui, après avoir dominé la scène française de 1636 à 1651, était revenu au théâtre depuis 1659 et avait réussi à reconquérir une partie de son prestige. Sur ce point, la préface que Racine venait d'écrire pour *Britannicus*, publié en librairie au début de 1670, était fort explicite : à l'intrigue compliquée des dernières tragédies cornéliennes, Racine oppose la nécessité d'une « action simple, chargée de peu de matière, telle que doit être une action qui se passe en un seul jour, et qui, s'avançant par degrés vers sa fin, n'est soutenue que par les intérêts, les sentiments et les passions des personnages ».

On comprend donc que Corneille ait cru le moment propice pour réagir avec éclat. Si Racine fut vainqueur de la compétition, du moins le demi-succès de *Tite et Bérénice* put-il donner à Corneille l'impression qu'il n'avait pas perdu trop de terrain sur son jeune rival.

Les partisans de Corneille (et, parmi eux, Mme de Sévigné) furent d'ailleurs encouragés par un libelle de l'abbé de Villars[4], la *Critique de « Bérénice »* : celui-ci reprochait à Racine d'avoir déformé la vérité historique (les consuls ne pouvaient venir voir Titus, puisqu'à la mort de Vespasien il n'y avait que deux consuls, Vespasien et Titus; Bérénice ne pouvait attester les dieux, puisqu'elle était juive, etc.); d'avoir réduit l'action à un « tissu de madrigaux et d'élégies »; d'avoir créé des caractères peu conformes à la bienséance (Antiochus était un niais, Titus était malhonnête, Bérénice manquait de dignité, et le texte de sa lettre au Ve acte était ridicule); d'avoir enfin gâté par des tournures familières le style noble de la

---

1. *Andromaque* lui est dédiée; 2. Un texte contemporain confirme cette hypothèse; il est de l'abbé de Villars, qui écrit : « Un vieux capitaine prend-il jamais mal son terrain? et un poète couronné de lauriers ne doit-il pas bien conserver tous ses avantages quand il traite un sujet? »; 3. Pour la responsabilité de Corneille dans la querelle du *Cid,* voir la notice de l'édition des « Classiques Larousse »; 4. L'abbé de Montfaucon de Villars (1635-1673) appartenait au cercle de l'abbé d'Aubignac; il s'est fait connaître surtout par ses *Entretiens du comte de Gabalis* (1670) et par ses écrits contre Port-Royal. La *Critique de « Bérénice »*, dont le privilège date du 31 décembre 1670, a dû être publiée dans les premiers jours de 1671.

tragédie. Racine répondra, non sans aigreur, à ces critiques dans sa Préface[1], tout en tenant compte de quelques-unes d'entre elles, puisqu'il supprima, par exemple, le texte de la lettre (voir les Questions relatives aux vers 1355-1362, page 102), et qu'il modifia son texte en faisant invoquer par Bérénice non plus les dieux, mais le ciel. En fait, ces reproches étaient ceux, non d'un partisan de Corneille, mais d'un des « doctes », qui, autour de l'abbé d'Aubignac, veillaient jalousement à ce que fût respecté ce qu'ils considéraient comme les lois immuables de la tragédie. Les admirateurs de Corneille s'aperçurent très vite que l'abbé de Villars n'était pas des leurs, puisque bientôt celui-ci rédigea, au nom de la même doctrine, un libelle contre *Tite et Bérénice.* Ainsi les défenseurs rigoureux de la tragédie régulière semblaient renvoyer dos à dos les deux adversaires. C'est bien là la leçon que paraît avoir tirée de la querelle un parodiste, qui, en 1673, fit jouer *Tite et Titus*, comédie dans laquelle on voyait Apollon faire comparaître le héros de Corneille et celui de Racine, ainsi que leurs Bérénices, et les condamner également.

Si l'avis trop sévère des « doctes » n'importe plus guère aujourd'hui, il est en tout cas évident que deux conceptions différentes de la tragédie s'offraient en même temps au public et se heurtaient : l'analyse comparée des deux pièces peut le démontrer.

ANALYSE DE « BÉRÉNICE » ET DE « TITE ET BÉRÉNICE »

(Les scènes principales sont indiquées entre parenthèses.)

■ *ACTE PREMIER*

BÉRÉNICE
de Racine.

L'espoir de Bérénice.

Le deuil officiel d'une semaine, qui a suivi la mort de Vespasien, vient de finir; le bruit court que Titus, son fils et successeur, va épouser Bérénice, reine de Palestine. Douleur d'Antiochus, roi de Commagène, qui aime la reine en silence depuis cinq ans. Il lui fait demander un entretien; il s'est

TITE ET BÉRÉNICE
de Corneille.

L'ambition de Domitie.

L'orgueilleuse Domitie, Romaine de haute naissance, va épouser Tite, devenu empereur : elle avoue que ce mariage ne satisfait que son ambition, car elle prétend aimer Domitian[2], frère de Tite. Mais cette ambition est plus forte que tous les autres sentiments, et elle ne

1. Voir page 29; 2. Le futur empereur Domitien.

décidé à quitter Rome, mais après lui avoir déclaré son amour **(scène III).**

Entrevue de Bérénice et d'Antiochus : il lui fait ses aveux et ses adieux; elle ne le retient pas **(scène IV).**

Confiance de Bérénice qui pourtant s'explique mal pourquoi Titus, depuis huit jours, semble la fuir **(scène V).**

laisse à Domitian aucun espoir **(scène II).**

Domitian, qui aime Domitie, est profondément déçu : son confident Albin a heureusement songé à faire échec aux projets de Domitie : il a mandé secrètement à Rome la reine Bérénice, dont Tite s'est séparé autrefois, mais qu'il n'a cessé d'aimer.

■ *ACTE II*

Premières inquiétudes de Bérénice.

En fait, Titus a décidé de renvoyer Bérénice et de la confier à Antiochus pour la ramener en Orient. Les raisons de Titus exposées par lui à son confident Paulin, qui l'encourage en lui rappelant les grandes traditions nationales et l'hostilité des Romains à tout ce qui est roi ou reine. **(scène II).**

Entrevue de Bérénice et de Titus : il n'a pas le cruel courage de lui annoncer sa volonté **(scène IV).**

Inquiétudes refoulées de Bérénice.

Arrivée de Bérénice.

Tite, de son côté, reconnaît que son mariage est uniquement dicté par des raisons politiques; mais, lorsque Domitian lui demande de renoncer à Domitie, Tite s'y refuse **(scène II).** — Domitie, mise en présence des deux frères, évite adroitement de prendre parti entre eux.

Brusque arrivée de Bérénice **(scène V)**; désarroi de Titus, qui accueille froidement la reine, et rompt aussi brusquement l'entretien avec Domitie. — Fureur jalouse de Domitie, qui songe à se venger de Tite **(scène VII).**

■ *ACTE III*

La vérité connue de Bérénice.

Titus, qui a fait rechercher Antiochus, lui confie la mission d'informer Bérénice de sa décision **(scène première)**; Antiochus se reprend à espérer.

Entrevue de Bérénice et d'Antiochus, qui s'acquitte douloureusement de sa mission; outrée de ce qu'elle prend pour le

Première victoire de Bérénice sur Domitie.

Sur l'ordre de Tite, Domitian propose à Bérénice de l'épouser, mais celle-ci ne consent même pas à témoigner à Domitian un semblant d'amour, qui serait pourtant un moyen sûr de provoquer la jalousie de Tite. Domitie, informée par Domitian lui-même de ce projet, ose lui repro-

mensonge d'un jaloux, elle le congédie, mais sort désemparée **(scène III).**

Émotion d'Antiochus : il semble décidé cette fois à partir immédiatement, mais voudrait cependant être rassuré, avant son départ, sur le sort de Bérénice.

cher son infidélité. Les deux femmes se défient **(scène III).**

Première entrevue de Tite et de Bérénice; sensible aux reproches de la Reine, Tite reconnaît qu'il va épouser Domitie par nécessité politique; il serait prêt à abandonner l'Empire pour suivre Bérénice. Mais celle-ci le dissuade de ce vain projet : il faut garder l'empire, mais refuser Domitie; Tite le lui promet **(scène V).**

■ *ACTE IV*

La détresse de Bérénice.

Bérénice, fébrile, attend Titus; elle consent à se retirer pour réparer le désordre de sa tenue.

Arrivée de Titus, qui médite seul **(scène IV)**, déchiré entre son amour et son devoir de souverain. Survient Bérénice : Titus a le courage cette fois de lui annoncer sa décision. Folle de tristesse et de désespoir, Bérénice sort en menaçant de se tuer **(scène V).**

Émotion de Titus. Le chevaleresque Antiochus le supplie de sauver Bérénice. Les personnages officiels viennent le presser de suivre la loi de Rome. L'Empereur décide de voir le sénat, avant de voir à nouveau Bérénice.

Domitian au secours de Bérénice.

Le sénat semble hostile à Bérénice. Celle-ci, prête à la lutte, s'assure l'appui de Domitian. Domitie, décidée à éliminer sa rivale, tente à son tour de se ménager l'aide de Domitian, sans cependant prendre aucun engagement envers lui **(scène III).**

Domitian veut s'assurer des sentiments de Tite : plus irrésolu que jamais, l'Empereur craint la vengeance de Domitie, s'il la donne à Domitian, mais ne saurait non plus lui laisser Bérénice **(scène V)**. Domitian, certain des sentiments de Tite, va agir au sénat en faveur de Bérénice.

■ *ACTE V*

La résignation de Bérénice.

Antiochus, ayant appris que Bérénice s'était décidée à partir et en avait informé Titus par une lettre, se reprend à espérer, mais,

Triomphe et départ de Bérénice.

Tite affronte Domitie, impérieuse et menaçante : il lui reproche de ne l'aimer que par ambition **(scène II).**

comprenant son illusion par le retour de Titus toujours aussi amoureux, il sort désespéré pour se tuer.

Entrevue de Bérénice et de Titus, qui surprend la lettre, où en réalité elle lui annonçait son suicide **(scène V)**; il la menace à son tour de se tuer si elle ne comprend pas la nécessité de la séparation et persiste dans son projet **(scène VI)**.

Résignation de Bérénice; émue par cette menace de Titus et par le désespoir d'Antiochus qui, rejoint à temps, revient, elle trouve dans son amour pour Titus la force de renoncer à son bonheur; elle part loin de Titus, mais sans Antiochus **(scène VII)**.

Bérénice est prête, par amour pour Tite, à quitter Rome, pourvu qu'elle ne subisse pas l'affront de recevoir du sénat l'ordre de s'exiler **(scène IV)**.

Nouvelle surprenante : le sénat et le peuple sont prêts à approuver le mariage de Bérénice et de l'Empereur. Mais Bérénice, triomphante, s'éloigne : elle ne veut pas par sa présence risquer de mettre en danger la couronne et la vie de celui qu'elle aime d'un amour désintéressé **(scène V)**[1].

VALEUR HISTORIQUE ET POLITIQUE DE « BÉRÉNICE »

Dans les premières lignes de sa Préface, Racine cite le texte de Suétone, qui donne au sujet de sa pièce la garantie de la vérité historique. Mais il est peu probable que Madame ait trouvé dans l'historien latin les données qui la déterminèrent à proposer un tel thème au poète. Avait-elle lu dans *les Femmes illustres* de Scudéry (1642) la lettre imaginaire de Bérénice à Titus, ou encore la tragicomédie de Magnon, *Tite* (1660)? Il est plus vraisemblable qu'elle ait lu un roman inachevé de Segrais, *Bérénice* (1648-1649). Ce qui est sûr, c'est qu'en 1670 Bérénice était déjà devenue une héroïne de roman; l'image qu'on pouvait se faire du personnage n'avait plus guère de ressemblance avec la Bérénice de l'histoire.

La vraie Bérénice, telle qu'on peut la connaître à travers les textes de Suétone[2], de Tacite (*Histoires*, II) et de Flavius Josèphe, fut non pas une reine de Palestine, mais une princesse orientale assez intrigante. Juvénal (*Satires*, VI, 154-160) exagère peut-être sa rapacité et son immoralité. Petite-fille d'Hérode le Grand, elle avait déjà quarante ans et elle était mariée pour la troisième fois quand Vespasien reçut de Néron le commandement des troupes destinées à réprimer le soulèvement de Judée. Selon Tacite, Bérénice servit le parti des Romains et Vespasien ne fut pas indifférent à ses pré-

1. Voir, dans la Documentation thématique, deux fragments de la tragédie de Corneille; 2. Voir Documentation thématique, page 112.

sents; lorsque Vespasien, devenu empereur, laissa à son fils Titus le soin de terminer la campagne de Judée, Bérénice poursuivit sa politique de séduction. Devenu l'amant de Bérénice, Titus, qui avait douze ans de moins qu'elle, rompit cette liaison sur l'ordre de Vespasien, lorsqu'il retourna en Italie, après avoir écrasé la révolte juive et pris Jérusalem (71 apr. J.-C.). Huit ans plus tard, à la mort de Vespasien, c'est d'elle-même que Bérénice vint à Rome pour tenter de renouer avec le jeune empereur, mais en vain. La princesse sentimentale de Racine est donc bien différente de son modèle. Mais la phrase de Suétone affirmant que Titus renvoya Bérénice « loin de Rome malgré lui et malgré elle » permettait à Racine de faire de Titus et de Bérénice de parfaits amants, dont la fidélité résiste à toutes les séparations et à tous les éloignements.

Le rôle d'Antiochus est aussi traité selon une interprétation assez large de l'histoire. La Commagène était depuis longtemps sous le protectorat de Rome; elle avait été réduite en province romaine par Tibère en 17, puis restituée à son roi, Antiochus IV, en 38. Celui-ci se rangea du côté de Vespasien lors de la campagne de Judée, si l'on en croit Tacite (*Histoires*, II, 81), et ensuite fournit des renforts à Titus lors du siège de Jérusalem (*Histoires*, V, 1). L'historien Flavius Josèphe précise que le roi de Commagène fit une tentative téméraire et infructueuse pour prendre la ville, ce qui lui valut les reproches de Titus. En 73, un nouveau revirement de la politique romaine en Orient priva Antiochus de sa couronne; la Commagène redevint province romaine, et son roi se retira à Rome. On voit les distances que Racine a prises avec l'histoire : son Antiochus est bien plus jeune que son modèle historique; les exploits qu'il accomplit au siège de Jérusalem (v. vers 105-114) prennent une signification toute différente; son amitié pour Titus et son amour pour Bérénice sont pures inventions du poète.

Quant à Titus, il est lui aussi idéalisé. Assurément, Suétone et les autres historiens sont d'accord pour affirmer que Titus, après une jeunesse débauchée et cruelle, devint un empereur d'une sagesse et d'une justice exemplaires, qui lui valurent d'être surnommé « les délices du genre humain »[1]. Mais nul n'explique les motifs de cette miraculeuse transformation. Pourquoi ne pas imaginer que l'influence de l' « aimable Bérénice » a fait de Titus un prince « généreux »? Telle est l'explication donnée par le poète (v. vers 509-519), et il peut en justifier la vraisemblance. Suétone dit, en effet, que les Romains craignaient, à l'avènement de Titus, d'avoir pour empereur « un autre Néron »; or, le Titus de Racine vit dans la crainte de suivre cet exemple maudit (v. vers 351-354, 506-508, 1213-1214), et l'auteur de *Britannicus* lui fait accomplir le chemin inverse de

1. Voir Documentation thématique, page 112, début du paragraphe I.

celui qu'il avait fait suivre à son Néron. Alors que l'amour de Junie éveille chez Néron la jalousie, la haine et tous les instincts monstrueux qui le mèneront à un despotisme sanguinaire, l'amour de Bérénice a appris à Titus les vertus qui font les souverains épris de bonté et de justice.

Si grandes que soient les libertés prises par Racine avec les faits, il pouvait donc prétendre une fois de plus qu'il n'avait pas outrepassé ses droits : le poète reste maître des moyens qui lui permettent de transformer la vérité historique en vérité dramatique, pourvu qu'il respecte la vraisemblance. Racine ne trahissait pas l'esprit de l'histoire : *Bérénice* offre l'image douloureuse et grandiose du premier jour où régna un empereur illustre par ses vertus, comme *Britannicus* avait montré Néron couronnant par un assassinat le premier jour d'un règne qui devait être fertile en crimes.

Le public de 1670, toujours tenté de trouver des « clés » aux tragédies comme aux romans, voulut voir dans l'histoire de Titus et de Bérénice une allusion à certains faits d'actualité. Madame aurait-elle choisi ce sujet pour rappeler que Louis XIV, qui était près de l'aimer, renonça à elle par raison d'État? Il semble que les contemporains n'aient pas fait ce rapprochement, inventé après coup. Mais il est sûr que la séparation de Titus et de Bérénice rappela aux courtisans la façon dont s'étaient terminées les amours du jeune Louis XIV et de Marie Mancini, une des nièces de Mazarin. Le cardinal, qui préparait le mariage du souverain avec Marie-Thérèse d'Autriche, éloigna sa nièce et lui fit épouser le connétable Colonna, malgré les soupirs de son royal amant. Racine semble bien avoir orienté le public vers cette interprétation : les vers 1154 et 1346 surtout rappelaient des mots fameux qui étaient liés au souvenir de cette aventure déjà lointaine, puisqu'elle remontait à 1662. Racine avait-il, en 1670, une raison précise de faire cette allusion au passé? Aucune, semble-t-il, sinon de créer dans l'esprit du public — mais d'une façon toute générale — un rapprochement entre Louis XIV et Titus (voir, par exemple, vers 316). Cette « actualisation » des personnages est d'ailleurs plus sensible ici que dans toute autre tragédie : à travers Titus, devenu empereur, n'entrevoit-on pas un Dauphin de France qui, à l'heure de régner, prend conscience de ses lourdes responsabilités et se rend compte que ce pouvoir suprême, auquel il a tant aspiré, ne lui donnera pas le bonheur dont il avait rêvé?

L'ACTION DANS « BÉRÉNICE »

Faire une action très simple, qui démontre que « toute l'invention consiste à faire quelque chose de rien[1] », tel est le but que Racine

1. Préface de *Bérénice*, voir page 28.

s'est assigné en écrivant *Bérénice*. Il pousse donc à la limite la formule qu'il avait lancée dans la Préface de *Britannicus* (1670) quand il proposait « une action simple, chargée de peu de matière, telle que doit être une action qui se passe en un seul jour, et qui, s'avançant par degrés vers sa fin, n'est soutenue que par les intérêts, les sentiments et les passions des personnages ». Dans *Bérénice*, il n'y a que trois personnages, et encore l'un d'eux, Antiochus, n'a-t-il guère d'influence sur les sentiments des deux autres. Et il n'y a qu'une seule situation dramatique : dès le début de la tragédie, Titus est décidé à se séparer de Bérénice. Toute l'action consiste à retarder pendant cinq actes le moment où Bérénice s'éloignera, sans que cependant intervienne aucun événement extérieur pour modifier la situation.

Racine a-t-il réussi à soutenir l'intérêt pendant cinq actes avec une action aussi mince? Avec ses 1506 vers, *Bérénice* est, certes, sa tragédie la plus courte. Mais à force de répéter, après l'abbé de Villars et après Théophile Gautier, qu'elle n'est qu'une « élégie », on est souvent trop enclin à n'y voir qu'une suite de plaintes lyriques. En fait, on peut découvrir dans *Bérénice* le mécanisme d'une action dramatique dont la progression, moins visible qu'en d'autres pièces, mène pourtant à un dénouement inévitable. C'est le personnage d'Antiochus qui constitue le *moyen* dramatique nécessaire pour donner le mouvement à l'action. Dès le premier acte, Antiochus veut partir[1], mais non sans avoir révélé à Bérénice l'ardente passion qu'il n'a cessé d'éprouver pour elle et non sans avoir la certitude qu'elle va épouser Titus : la réponse de la reine ne lui laisse aucun espoir. Mais, lorsque Titus **(acte II)**, bien décidé à se séparer de Bérénice, n'a cependant pas osé lui dire ses intentions, c'est à Antiochus — qui n'a pas encore mis à exécution son projet de départ — que l'empereur confie la mission de signifier à Bérénice la séparation inévitable **(acte III)**. On comprend alors mieux pourquoi il ne fallait pas qu'Antiochus eût laissé entrevoir son amour pour Bérénice : le rôle de double confident auquel il est voué malgré lui était impossible sans cette condition; c'est aussi le seul moyen de faire avancer l'action et de rendre plus tragique encore la situation des trois personnages. En effet, Antiochus va nourrir l'espoir que Bérénice, déçue par Titus, lui accordera sa main. Illusion peu durable, puisque la reine accuse Antiochus d'avoir forgé un mensonge par pure jalousie. Aussi, une fois encore, à la fin de l'acte III, Antiochus songe à s'éloigner; mais, malgré la blessure d'amour-propre qu'il a subie, il est trop inquiet du sort de Bérénice pour ne pas différer son embarquement jusqu'au soir. L'**acte IV** ne sera

---

1. Un procédé dramatique analogue se retrouvera dans *Phèdre* : Hippolyte, dès le premier acte, veut partir de Trézène; mais les circonstances d'abord, ses scrupules ensuite retarderont ce départ jusqu'au cinquième acte. Il sera alors trop tard pour qu'il échappe à la catastrophe.

donc pas la simple répétition de l'acte II : Titus qui sait Bérénice prévenue par Antiochus, peut lui faire comprendre qu'il l'aime toujours, mais que le sentiment de sa gloire l'oblige à se séparer d'elle. Or, il a devant lui une Bérénice désemparée, qui songe à la mort; ainsi se dessine un dénouement possible : le suicide de Bérénice. Mais voilà qu'au début de **l'acte V** cette issue semble tout à coup écartée : Bérénice est, dit-on, décidée à partir. Là encore, c'est le personnage d'Antiochus qui donne toute sa portée à ce rebondissement de l'action : car de nouveau il se met à espérer, comme à l'acte III, que Bérénice le suivra. Son désespoir n'en est que plus grand quand il croit comprendre que Titus, toujours amoureux, va retenir la reine : pour n'avoir pas eu l'énergie de procéder à ce départ dont il parle depuis le premier acte, Antiochus à son tour pense à se tuer. Ce quiproquo tragique va alors permettre de trouver la voie du dénouement. En effet, lorsque Titus a surpris le secret de Bérénice (dont le départ n'était qu'un stratagème pour dissimuler sa résolution de mourir), alors qu'à son tour il menace de se donner la mort et qu'un triple suicide semble devoir terminer la tragédie, c'est l'intervention d'Antiochus qui permet le revirement final. Mandé par l'empereur, il lui révèle enfin qu'il est son rival et, puisqu'il reste persuadé que Titus et Bérénice vont s'unir pour toujours, il veut sacrifier sa vie au bonheur des deux amants. C'est alors seulement que Bérénice se résigne à la séparation. On peut penser qu'elle est plus sensible au désespoir de Titus qu'au dévouement d'Antiochus; n'empêche que la décision finale n'est prise qu'après l'intervention d'Antiochus.

L'art de Racine a donc consisté à « décomposer » une situation unique en un certain nombre de moments dramatiques; la progression tragique est ménagée, puisque insensiblement l'idée de la mort s'insinue en chacun des personnages, s'empare d'eux, s'impose à eux jusqu'au moment où surgit aux yeux de Bérénice la nécessité d'une solution plus « glorieuse » que la mort, mais tout aussi douloureuse qu'elle.

Cette technique dramatique, si habile qu'elle donne au spectateur l'impression d'un dépouillement total, était assurément propre à porter un coup décisif aux tragédies « implexes » de Corneille, bourrées d'événements; les préfaces de *Britannicus* et de *Bérénice* révèlent nettement que Racine avait l'intention d'user de cette arme contre son vieux rival. Ainsi semblaient satisfaites les exigences des « doctes », qui demandaient que « d'un petit fonds le poète tire ingénieusement de quoi soutenir le théâtre par de grands sentiments[1] ». Et cependant, comme en témoigne le libelle de l'abbé de Villars, les « doctes » reprochèrent à Racine d'avoir manqué aux règles de la tragédie en simplifiant trop l'action : le poète leur

1. Citation de l'abbé d'Aubignac, dans la *Pratique du théâtre* (1657).

répond durement (v. Préface, p. 29), défend une fois de plus les droits du dramaturge contre les théoriciens et affirme que « la principale règle est de plaire et de toucher ». En fait, plus encore que le désir de vaincre Corneille ou que le souci de se conformer aux règles, c'est l'inspiration personnelle du poète qui l'a entraîné à une création aussi singulière. Sainte-Beuve voit, non sans raison, dans *Bérénice* « une œuvre qui serait dans le goût secret et selon la pente naturelle » de Racine. La fameuse formule : « faire quelque chose de rien » n'est qu'une justification inventée après coup, et elle ne saurait en tout cas être considérée comme le fondement de toute la dramaturgie racinienne; elle ne vaut que pour *Bérénice* : il suffit de songer aux tragédies qui suivirent, de *Bajazet* à *Phèdre*, pour s'apercevoir que le poète passe à d'autres formules.

LES CARACTÈRES

La simplicité de l'action a-t-elle permis à Racine de donner à la peinture des caractères une pénétration encore plus grande que dans ses précédentes tragédies? Les spectateurs modernes, moins enclins que ceux de 1670 à s'attendrir, risquent d'en douter, surtout en considérant les deux rôles masculins de la tragédie.

Antiochus est sans doute un personnage très racinien par son irrésolution. Amoureux chevaleresque, il est torturé par son rôle de double confident; loyal envers Titus comme envers Bérénice, il sait qu'il devrait s'éloigner, mais diffère sans cesse son départ. Capable de se laisser aveugler par d'illusoires espérances, il revient très vite à la conviction qu'il est marqué par le malheur, et il ne lui reste qu'une attitude à prendre : celle du héros romanesque qui se sacrifie au bonheur de celle qu'il aime. Ce dévouement, capable de faire couler les larmes des spectateurs du XVIIe siècle, paraît aujourd'hui moins héroïque, du moment qu'Antiochus se voit dispensé du suicide par Bérénice, et se contente pour finir d'un *Hélas!* sur lequel tombe le rideau. La passivité à laquelle est condamné cet Oreste attendri s'explique en partie par l'utilité dramatique de son rôle, qu'on a étudiée plus haut : et c'est là peut-être qu'on aperçoit que la simplicité de l'intrigue n'a guère contribué à accentuer le relief de ce caractère.

Quant à **Titus,** il peut paraître, lui aussi, victime de sa passivité. A aucun moment, il ne lui vient à l'esprit de passer outre à la volonté des Romains : assurément, il ne promet rien au sénat, mais il n'a jamais non plus promis à Bérénice de l'épouser; tout au plus se laisse-t-il aller à lui demander de « demeurer » (vers 1130). Le conflit qui le déchire ne l'entraîne pas, comme d'autres personnages raciniens, à des décisions contradictoires, mais le paralyse. On a pu l'accuser de lâcheté, puisqu'il confie à Antiochus le soin de dire à la reine ce qu'il n'ose lui dire lui-même; on le soupçonne, à certains moments, de vouloir être habile plutôt que sincère. Et pourtant, Titus diffère sur un point de tous les autres héros de Racine : dès le début de la tragédie, il a fait son choix; il sait qu'il faut se séparer de Bérénice, et, tout au long du drame, il s'accroche désespérément à cette décision. Le tragique du personnage vient de ce que le sentiment de son devoir l'oblige à écarter cette Bérénice, dont l'amour très pur lui a justement appris la valeur de la vertu et de la dignité. Titus ne saurait invoquer d'autre fatalité que celle qui se trouve en lui-même. Il serait donc tentant pour lui de considérer les conseils de Paulin et du sénat comme une « raison de force majeure » qui l'oblige à céder malgré lui; mais il veut que la solution vienne d'une décision librement consentie par Bérénice et par lui-même. Sans doute la pitié du spectateur s'émeut plus aisément de la candeur romanesque de Britannicus ou des fureurs irraisonnées de Pyrrhus. Le caractère de Titus paraît plus terne; Racine ne le met pas à l'épreuve de la jalousie qui, dans ses autres tragédies, déchaîne les catastrophes. Il ne manque cependant pas de vérité humaine.

Des trois personnages, le plus attachant est celui de **Bérénice.** Elle éprouve pour Titus la passion exclusive qui caractérise les amoureuses raciniennes. Elle a pour rivale non une autre femme, mais la loi romaine : elle est toutefois incapable de comprendre la gravité du problème politique que pose à un empereur romain le projet d'un mariage avec une reine étrangère. Elle se croit trahie, et, quand elle se sait sur le point d'être abandonnée, elle ne maîtrise pas sa colère; elle connaît ces moments de fièvre et d'abattement (acte IV, scène II) que connaîtra Phèdre. Mais l'instinct de destruction, qui trouve chez Phèdre, comme chez Hermione et Roxane, son aliment dans la jalousie, est ici dominé par la tendresse : après avoir eu la tentation de trouver dans la mort le moyen d'échapper à son destin, Bérénice puise non dans sa raison mais dans son cœur assez de force pour se résigner, pour peu qu'elle acquière la certitude que Titus l'aime toujours. Ce qu'il y a peut-être de plus tragique dans son destin, c'est qu'elle s'éloigne sans avoir réellement compris les motifs qui déterminent Titus; elle obéit aveuglément (vers 1493); elle est toujours aussi amoureuse, mais, au fond, le malentendu subsiste.

C'est bien la pure pitié qu'émeut le personnage de Bérénice, et non l'admiration; elle n'est point une princesse cornélienne. La Bérénice de Corneille se sépare de Titus par raison, alors que le sénat romain l'a acceptée pour impératrice : elle met son énergie à dominer son destin. La Bérénice de Racine cède à sa destinée par tendresse pour Titus. Peut-être n'est-elle pas aussi pure que Monime et qu'Iphigénie : une jeune princesse vertueuse ne saurait imaginer, comme le fait Bérénice (vers 1126-1127), de rester auprès de Titus sans l'épouser. Une telle attitude conviendrait à une femme qui a déjà l'expérience de l'amour; le malicieux abbé de Villars traitait Bérénice de « belle surannée », laissant ainsi entendre que Racine n'avait peut-être pas complètement oublié que la Bérénice de l'histoire n'avait plus vingt ans et qu'elle était la maîtresse de Titus. Aux yeux du spectateur d'aujourd'hui, moins strict sur les règles de la bienséance, Bérénice n'a sans doute pas la candeur de Junie ni l'innocence de Monime ou d'Iphigénie, qui laissent s'accomplir leur destin; sa passion pour Titus a quelque chose de la violence qui anime Hermione, Roxane et Phèdre, mais alors que la jalousie et le désespoir entraînent celles-ci aux fureurs du crime, Bérénice, qui tient elle aussi en ses mains le sort des autres personnages, les entraîne non dans une catastrophe sanglante, mais dans une tristesse qui durera autant que leur vie. Elle fait de la pièce dont elle est l'héroïne une tragédie qui, pour être moins « forte » que les autres œuvres de Racine, n'en exprime pas moins la cruelle vérité de toutes les souffrances qui accompagnent une rupture.

LEXIQUE DU VOCABULAIRE DE RACINE

On trouvera réunis ici un certain nombre de termes du vocabulaire psychologique et moral employés dans Bérénice. *Ces mots, qui sont suivis d'un astérisque dans le texte, sont cités soit parce que leur sens n'est plus tout à fait le même en français moderne, soit parce que leur fréquence dans le texte donne une indication intéressante sur le climat psychologique de la pièce.*

Alarmes : Dangers (vers 388) et les angoisses qu'ils causent (vers 151, 479, 1391, 1484).

Charmant : Qui exerce un attrait mystérieux et irrésistible, résultant d'une sorte de pouvoir magique (mot du vocabulaire galant) [vers 236, 317, 373, 706, 717].

Charmer : Ensorceler, fasciner (vers 599).

Charmes : Attraits mystérieux et irrésistibles (vers 439, 803, 995, 1347).

Cruel : Qui provoque la souffrance et le malheur (vers 229, 274, 471, 499, 519, 548, 834, 875, 1081, 1094, 1112, 1280, 1290, 1302, 1315, 1338, 1359). Pris comme nom, désigne celui ou celle qui est indifférent à l'amour qu'on lui porte (vers 947, 1062, 1071, 1103, 1350).

Désordre : Désarroi moral, qui, le plus souvent, se manifeste par des signes extérieurs (vers 648, 967, 1268).

Ennui : Tourment insupportable (vers 234, 599).

Fatal : Fixé par le destin pour créer des malheurs inévitables (vers 42, 845, 937, 1441).

Fortune : Destinée, heureuse ou malheureuse (vers 87, 136, 679, 720, 808, 1280, 1284). Au pluriel, hasards de la destinée (vers 144).

Funeste : Qui apporte le désastre et la mort (vers 131, 227, 532, 626, 747, 958, 1298, 1422, 1491).

Fureur : Déchaînement d'une passion, qui touche parfois à la démence (vers 218, 395, 961, 1265). Au pluriel, manifestations d'une passion déchaînée (vers 354).

Généreux : Qui est noble et a le sens de l'honneur (vers 12, 897, 1265, 1469, 1498).

Gloire : Illustre réputation née du mérite (vers 102, 187, 251, 392, 491, 499, 521, 544, 688, 1027, 1052, 1210). Sentiment de l'honneur, respect de sa propre réputation vis-à-vis des autres et vis-à-vis de soi-même (vers 452, 604, 656, 736, 796, 908, 946, 987, 1058, 1096, 1103, 1331, 1394).

Ingrat : Qui ne paie pas de retour l'amour qu'on lui témoigne (vers 526, 618, 619, 804, 936, 960, 1119, 1176, 1190, 1312, 1354, 1357).

Mélancolie : Humeur sombre, farouche (vers 239).

Soin (au singulier ou au pluriel) : Intérêt que l'on porte à la personne aimée, prévenances pour elle (vers 12, 57, 141, 165, 168, 805, 1118, 1462). Sollicitude née de l'amitié (vers 695, 1439). Souci, préoccupations (vers 17, 157, 573, 604, 786, 941, 1280, 1321).

Soupirs : Manifestation de l'amour qu'on porte à une femme (langage galant) [vers 246, 347, 457, 1276, 1341, 1501].

Tourment : Douleur morale qui met au supplice (vers 35, 613, 741, 810). Au pluriel, même sens (vers 1099, 1407).

Transports : Manifestation extérieure d'une passion de l'âme (vers 253, 1378), et en particulier de l'amour (vers 326, 542, 713, 787, 1341). Au singulier (vers 1271).

Triste : Funeste, cruel, en parlant des choses (vers 158, 237, 460, 500, 633, 738, 813, 997, 1123, 1204, 1325, 1361, 1367, 1387). Voué au malheur, en parlant d'un personnage (vers 197, 472).

Trouble : Profond désarroi psychologique et moral (vers 133, 477, 613, 743, 871, 879, 964, 1047, 1308, 1374, 1474).

Troubler : Bouleverser (vers 61, 867, 1219). **Se troubler** : Laisser voir son inquiétude, son désarroi (vers 180, 941, 1005, 1483).

Vertu : Valeur morale née surtout du courage (vers 162, 219, 835, 1237, 1373). Au pluriel, qualités morales (vers 269, 346, 376, 521, 1170, 1487).

ÉPÎTRE DÉDICATOIRE[1]

A MONSEIGNEUR

COLBERT

SECRÉTAIRE D'ÉTAT, CONTRÔLEUR GÉNÉRAL DES FINANCES,
SURINTENDANT DES BÂTIMENTS,
GRAND TRÉSORIER DES ORDRES DU ROI,
MARQUIS DE SEIGNELAY, etc.

MONSEIGNEUR,

Quelque juste défiance que j'aie de moi-même et de mes ouvrages, j'ose espérer que vous ne condamnerez pas la liberté que je prends de vous dédier cette tragédie. Vous ne l'avez pas jugée tout à fait indigne de votre approbation. Mais ce qui fait son plus grand mérite auprès de vous, c'est, MONSEIGNEUR, que vous avez été témoin du bonheur qu'elle a eu de ne pas déplaire à Sa Majesté.

L'on sait que les moindres choses vous deviennent considérables[2], pour peu qu'elles puissent servir à sa gloire ou à son plaisir; et c'est ce qui fait qu'au milieu de tant d'importantes occupations, où[3] le zèle de[4] votre prince et le bien public vous tiennent continuellement attaché, vous ne dédaignez pas quelquefois de descendre jusqu'à nous[5], pour nous demander compte de notre loisir.

J'aurais ici une belle occasion de m'étendre sur vos louanges, si vous me permettiez de vous louer. Et que ne dirais-je point de tant de rares qualités qui vous ont attiré l'admiration de toute la France; de cette pénétration à laquelle rien n'échappe; de cet esprit vaste qui embrasse, qui exécute tout à la fois tant de grandes choses; de cette âme que rien n'étonne[6], que rien ne fatigue!

---

1. Cette épître est le couronnement d'une série de travaux d'approche, dont la dédicace de *Britannicus,* un an avant, au gendre de Colbert, le duc de Chevreuse, reste le témoin ; **2.** *Considérable :* digne d'être considéré ; **3.** Auxquelles ; **4.** Pour ; **5.** Les gens de lettres ; **6.** Déconcerte (comme un coup de tonnerre).

Mais, MONSEIGNEUR, il faut être plus retenu[1] à vous parler de vous-même; et je craindrais de m'exposer, par un éloge importun, à vous faire repentir de l'attention favorable dont vous m'avez honoré; il vaut mieux que je songe à la mériter par quelques nouveaux ouvrages : aussi bien c'est le plus agréable remerciement qu'on vous puisse faire. Je suis avec un profond respect,

MONSEIGNEUR,

Votre très humble et très obéissant serviteur,

RACINE.

1. *Retenu* : modéré.

Phot. Giraudon.

BUSTE DE TITUS

Art romain. Musée du Louvre.

Phot. Larousse.

FRONTISPICE DE L'ÉDITION DE 1676

PRÉFACE

(1671)

Titus reginam Berenicen, cui etiam nuptias pollicitus ferebatur, statim ab Urbe dimisit invitus invitam.

C'est-à-dire que « Titus, qui aimait passionnément Bérénice, et qui même, à ce qu'on croyait, lui avait promis de l'épouser, la renvoya de Rome, malgré lui et malgré elle, dès les premiers jours de son empire[1] ». Cette action est très fameuse dans l'histoire; et je l'ai trouvée très propre pour le théâtre, par la violence des passions qu'elle y pouvait exciter. En effet nous n'avons rien de plus touchant dans tous les poètes que la séparation d'Énée et de Didon, dans Virgile[2]. Et qui doute que ce qui a pu fournir assez de matière pour tout un chant d'un poème héroïque, où l'action dure plusieurs jours, ne puisse suffire pour le sujet d'une tragédie, dont la durée ne doit être que de quelques heures? Il est vrai que je n'ai point poussé Bérénice jusqu'à se tuer, comme Didon, parce que Bérénice n'ayant pas ici avec Titus les derniers engagements que Didon avait avec Énée, elle n'est pas obligée, comme elle, de renoncer à la vie. A cela près, le dernier adieu qu'elle a dit à Titus, et l'effort qu'elle se fait pour s'en séparer n'est pas le moins tragique[3] de la pièce; et j'ose dire qu'il renouvelle assez bien dans le cœur des spectateurs l'émotion que le reste y avait pu exciter. Ce n'est point une nécessité qu'il y ait du sang et des morts dans une tragédie : il suffit que l'action en soit grande, que les acteurs[4] en soient héroïques, que les passions y soient excitées, et que tout s'y ressente de cette tristesse majestueuse qui fait tout le plaisir de la tragédie.

Je crus que je pourrais rencontrer toutes ces parties[5] dans mon sujet; mais ce qui m'en plut davantage, c'est que je le trouvai extrêmement simple. Il y avait longtemps que je voulais essayer si je pourrais faire une tragédie avec cette simplicité d'action qui a été si fort du goût des Anciens. Car c'est un des premiers préceptes qu'ils nous ont laissés : « Que ce que vous ferez, dit Horace, soit

---

1. Suétone (*Titus,* fin du paragraphe VII). Racine condense en une seule phrase, qu'il enrichit encore par la traduction, deux phrases tirées du paragraphe VII. Voir Documentation thématique; **2.** Voir *l'Enéide* (chant IV); **3.** Ce qu'il y a de moins tragique; **4.** *Acteurs :* personnages dans la langue classique; **5.** *Parties :* éléments constitutifs.

toujours simple et ne soit qu'un[1]. » Ils ont admiré l'*Ajax* de Sophocle, qui n'est autre chose qu'Ajax qui se tue de regret, à cause de la fureur[2] où il était tombé après le refus qu'on lui avait fait des armes d'Achille. Ils ont admiré le *Philoctète*[3], dont tout le sujet est Ulysse qui vient pour surprendre les flèches d'Hercule. L'*Œdipe* même, quoique tout plein de reconnaissances, est moins chargé de matière que la plus simple tragédie de nos jours. Nous voyons enfin que les partisans de Térence, qui l'élèvent avec raison au-dessus de tous les poètes comiques, pour l'élégance de sa diction[4] et pour la vraisemblance de ses mœurs[5], ne laissent pas de confesser que Plaute a un grand avantage sur lui par la simplicité qui est dans la plupart des sujets de Plaute; et c'est sans doute cette simplicité merveilleuse qui a attiré à ce dernier toutes les louanges que les Anciens lui ont données. Combien Ménandre[6] était-il encore plus simple, puisque Térence est obligé de prendre deux comédies de ce poète pour en faire une des siennes[7]! **(1)**

Et il ne faut point croire que cette règle ne soit fondée que sur la fantaisie de ceux qui l'ont faite : il n'y a que le vraisemblable qui touche dans la tragédie, et quelle vraisemblance y a-t-il qu'il arrive en un jour une multitude de choses qui pourraient à peine arriver en plusieurs semaines? Il y en a qui pensent que cette simplicité est une marque de peu d'invention. Ils ne songent pas qu'au contraire toute l'invention consiste à faire quelque chose de rien, et que tout ce grand nombre d'incidents a toujours été le refuge des poètes qui ne sentaient dans leur génie ni assez d'abondance ni assez de force pour attacher durant cinq actes leurs spectateurs par une action simple, soutenue de la violence des passions, de la beauté des sentiments et de l'élégance de l'expression. Je suis bien éloigné de croire que toutes ces choses se rencontrent dans mon ouvrage; mais aussi je ne puis croire que le public me sache mauvais gré de lui avoir donné une tragédie qui a été honorée de tant de larmes, et dont la trentième représentation a été aussi suivie que la première. **(2)**

---

1. *Art poétique,* vers 23 ; 2. *Fureur :* folie ; 3. Autre tragédie de Sophocle, comme *Œdipe roi ;* 4. *Diction :* composition des vers ; 5. *Mœurs :* ici, les caractères ; 6. *Ménandre :* poète comique grec du IVe siècle av. J.-C. ; 7. Allusion au procédé de la « contamination » ; voir prologue de *l'Andrienne,* de Térence.

QUESTIONS

1. Les arguments de Racine pour justifier la façon dont il a choisi le sujet et conçu l'action : de quelles autorités se réclame-t-il? Pourquoi?

2. L'attaque contre Corneille : montrez que l'intention polémique entraîne Racine jusqu'à une formule paradoxale. Peut-on être sûr que Racine, en écrivant *Bérénice,* avait l'intention de « faire quelque chose de rien »? Ne peut-on imaginer qu'il a créé la formule après coup?

Ce n'est pas que quelques personnes ne m'aient reproché cette même simplicité que j'avais recherchée avec tant de soin. Ils[1] ont cru qu'une tragédie qui était si peu chargée d'intrigues ne pouvait être selon les règles du théâtre. Je m'informai s'ils se plaignaient qu'elle les eût ennuyés. On me dit qu'ils avouaient tous qu'elle n'ennuyait point, qu'elle les touchait même en plusieurs endroits, et qu'ils la verraient encore avec plaisir. Que veulent-ils davantage? Je les conjure d'avoir assez bonne opinion d'eux-mêmes pour ne pas croire qu'une pièce qui les touche et qui leur donne du plaisir puisse être absolument contre les règles. La principale règle est de plaire et de toucher : toutes les autres ne sont faites que pour parvenir à cette première. Mais toutes ces règles sont d'un long détail, dont je ne leur conseille pas de s'embarrasser : ils ont des occupations plus importantes. Qu'ils se reposent sur nous[2] de la fatigue d'éclaircir les difficultés de la poétique d'Aristote; qu'ils se réservent le plaisir de pleurer et d'être attendris; et qu'ils me permettent de leur dire ce qu'un musicien disait à Philippe, roi de Macédoine, qui prétendait qu'une chanson n'était pas selon les règles : « A Dieu ne plaise, seigneur, que vous soyez jamais si malheureux que de savoir ces choses-là mieux que moi![3] » **(3)**

Voilà tout ce que j'ai à dire à ces personnes à qui je me ferai toujours gloire de plaire; car, pour le libelle[4] que l'on a fait contre moi, je crois que les lecteurs me dispenseront volontiers d'y répondre. Et que répondrais-je à un homme qui ne pense rien et qui ne sait pas même construire ce qu'il pense? Il parle de protase[5] comme s'il entendait[6] ce mot, et veut que cette première des quatre parties[7] de la tragédie soit toujours la plus proche de la dernière, qui est la catastrophe[8]. Il se plaint que la trop grande connaissance des règles l'empêche de se divertir à la comédie. Certainement, si l'on

---

1. Renvoie à *personnes;* 2. C'est-à-dire les auteurs. Tout ce passage est une violente attaque contre les « doctes »; 3. Rapporté par Plutarque, Grec du IIe siècle après J.-C. ; 4. Le *libelle* de l'abbé de Villars. Voir Notice, page 12; 5. *Protase :* exposition du sujet dans un poème dramatique. « Ne trouveriez-vous pas qu'il fût aussi beau de dire l'exposition du sujet que la protase ? » (Molière, *la Critique de « l'Ecole des femmes »*, scène VII) ; 6. *Entendre :* comprendre ; 7. Elles s'appellent : protase, épitase (nœud), catastase (péripétie), catastrophe (dénouement) ; 8. « Je trouvai mauvais que la scène ne s'ouvrît pas plus près de la *catastrophe,* et qu'au lieu de nous dire que Tite voulait quitter Bérénice, on nous dit tout le contraire. Si Antiochus s'en va, comme il le dit, il ne sera, dirais-je, qu'un acteur de *protase ;* et s'il demeure, tout ce qu'il vient de dire de son départ est superflu. [...] Si cet Antiochus eût ouvert le théâtre en disant qu'il a su que Titus veut renvoyer Bérénice, ce qu'il dit n'eût pas été si éloigné de la *catastrophe.* » (Libelle de l'abbé de Villars.)

QUESTIONS

3. Racine et les « doctes » : son ironie à leur égard. L'attitude du poète en face des théoriciens. Comment le poète s'appuie-t-il sur le public? Son attitude est-elle, de ce point de vue, différente de celle de Corneille, de Molière, et d'autres poètes du XVIIe siècle que vous pourriez citer?

en juge par sa dissertation, il n'y eut jamais de plainte plus mal fondée. Il paraît bien qu'il n'a jamais lu Sophocle, qu'il loue très injustement d'*une grande multiplicité d'incidents*[1] et qu'il n'a même jamais rien lu de la poétique que dans quelques préfaces de tragédies. Mais je lui pardonne de ne pas savoir les règles du théâtre, puisque, heureusement pour le public, il ne s'applique pas à ce genre d'écrire. Ce que je ne lui pardonne pas, c'est de savoir si peu les règles de la bonne plaisanterie, lui qui ne veut pas dire un mot sans plaisanter. Croit-il réjouir beaucoup les honnêtes gens par ces *hélas de poche*[2], ces *mesdemoiselles mes règles*[3], et quantité d'autres basses affectations qu'il trouvera condamnées dans tous les bons auteurs, s'il se mêle jamais de les lire?

Toutes ces critiques sont le partage de quatre ou cinq petits auteurs infortunés qui n'ont jamais pu par eux-mêmes exciter la curiosité du public. Ils attendent toujours l'occasion de quelque ouvrage qui réussisse, pour l'attaquer, non point par jalousie, car sur quel fondement seraient-ils jaloux? mais dans l'espérance qu'on se donnera la peine de leur répondre, et qu'on les tirera de l'obscurité où leurs propres ouvrages les auraient laissés toute leur vie. **(4) (5)**

---

1. Villars louait dans Sophocle « le soin de *conserver l'unité de l'action* dans la multiplicité des incidents » ; **2.** Antiochus « a toujours un *toutefois* et un *hélas !* de poche (= en poche) pour amuser le théâtre » (Libelle, page 32) ; **3.** « J'ai laissé mesdemoiselles *les* règles à la porte, j'ai vu la comédie, je l'ai trouvée fort affligeante, et j'y ai pleuré comme un ignorant. » (Libelle, page 7.)

QUESTIONS

4. Pourquoi Racine tient-il à séparer l'abbé de Villars (aisément reconnaissable pour tous) des « doctes », dont il était pourtant le porte-parole? La verve satirique de Racine : peut-on y découvrir certains traits de son caractère?

5. Sur l'ensemble de la Préface. Distinguez : 1° les arguments qui sont dictés par des intentions polémiques (contre Corneille, contre les « doctes ») ou qui sont destinés uniquement à justifier *Bérénice ;* 2° les arguments qui forment les éléments permanents de la poétique et de l'esthétique de Racine.

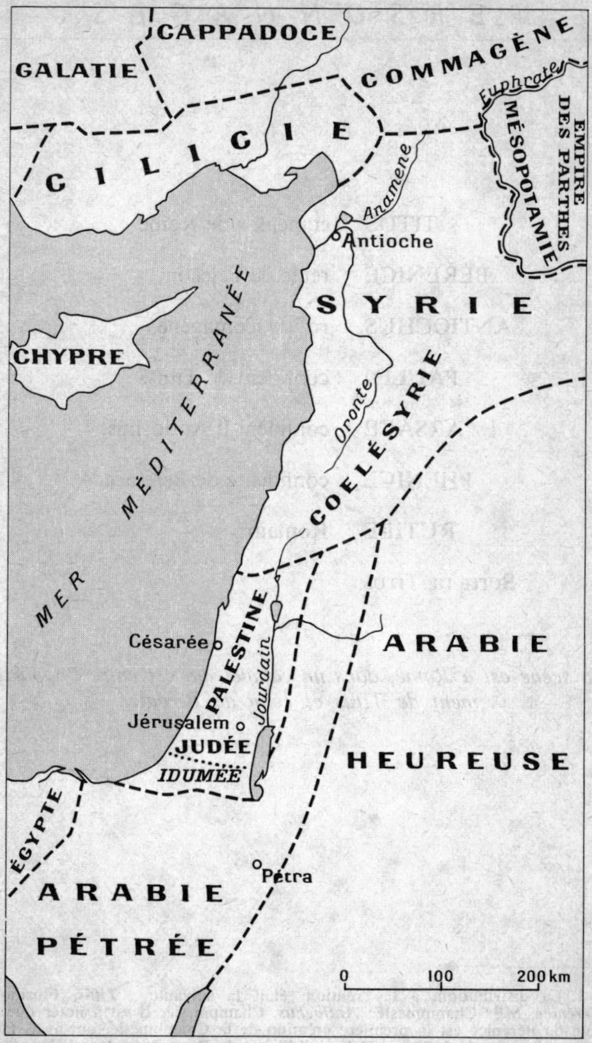

LES ÉTATS DE BÉRÉNICE ET D'ANTIOCHUS

PERSONNAGES[1]

TITUS	empereur de Rome.
BÉRÉNICE	reine de Palestine.
ANTIOCHUS	roi de Comagène.
PAULIN	confident de Titus.
ARSACE	confident d'Antiochus.
PHÉNICE	confidente de Bérénice.
RUTILE	Romain.

SUITE DE TITUS.

La scène est à Rome, dans un cabinet qui est entre l'appartement de Titus et celui de Bérénice.

1. La distribution, à la création, était la suivante : *Titus,* Floridor ; *Bérénice,* Mlle Champmeslé ; *Antiochus,* Champmeslé. Il est à noter que le rôle de Bérénice est la première création de la Champmeslé, qui avait fait, cette même année 1670, ses débuts à l'hôtel de Bourgogne dans l'Hermione d'*Andromaque*.

BÉRÉNICE

ACTE PREMIER

Scène première. — ANTIOCHUS, ARSACE.

ANTIOCHUS

Arrêtons un moment. La pompe[1] de ces lieux,
Je le vois bien, Arsace, est nouvelle à tes yeux.
Souvent ce cabinet superbe[2] et solitaire
Des secrets de Titus est le dépositaire.
C'est ici quelquefois qu'il se cache à sa cour,
Lorsqu'il vient à la reine expliquer[3] son amour.
De son appartement cette porte est prochaine,
Et cette autre conduit dans celui de la reine.
Va chez elle : dis-lui qu'importun à regret,
J'ose lui demander un entretien secret.

ARSACE

Vous, Seigneur, importun? vous, cet ami fidèle
Qu'un soin* si généreux* intéresse pour elle?
Vous, cet Antiochus, son amant[4] autrefois?
Vous, que l'Orient compte entre ses plus grands rois?
Quoi! déjà de Titus épouse en espérance,
Ce rang entre elle et vous met-il tant de distance?

ANTIOCHUS

Va, dis-je : et sans vouloir te charger d'autres soins*,
Vois si je puis bientôt lui parler sans témoins.

---

1. *Pompe :* magnificence; 2. *Superbe :* d'une beauté imposante; 3. *Expliquer :* parler longuement de; 4. *Amant :* prétendant, qui n'est pas d'ailleurs toujours payé de retour.

QUESTIONS

■ Sur la scène première. — Les éléments de l'exposition : quelles précisions sont nécessaires pour situer le lieu de l'action? Comment les explications données à Arsace sont-elles rendues vraisemblables?
— La situation des personnages : les seize premiers vers suffisent-ils à apprendre l'essentiel sur leur condition et leurs rapports réciproques?
— Le climat de la tragédie est créé : montrez-le en commentant les vers 4, 5 et 10. Que laisse présager au spectateur la gêne d'Antiochus?

SCÈNE II. — ANTIOCHUS, *seul.*

Hé bien! Antiochus, es-tu toujours le même?
Pourrais-je, sans trembler, lui dire : « Je vous aime »?
Mais quoi! déjà je tremble, et mon cœur agité
Craint autant ce moment que je l'ai souhaité.
Bérénice autrefois m'ôta toute espérance;
Elle m'imposa même un éternel silence.
Je me suis tu cinq ans; et jusques à ce jour,
D'un voile d'amitié j'ai couvert mon amour.
Dois-je croire qu'au rang où Titus la destine
Elle m'écoute mieux que dans la Palestine?
Il l'épouse. Ai-je donc attendu ce moment
Pour me venir encor déclarer son amant?
Quel fruit me reviendra d'un aveu téméraire[1]?
Ah! puisqu'il faut partir, partons sans lui déplaire,
Retirons-nous, sortons, et, sans nous découvrir[2],
Allons loin de ses yeux l'oublier, ou mourir.
Hé quoi! souffrir toujours un tourment* qu'elle ignore!
Toujours verser des pleurs qu'il faut que je dévore!
Quoi! même en la perdant redouter son courroux!
Belle reine, et pourquoi vous offenseriez-vous?
Viens-je vous demander que vous quittiez l'empire?
Que vous m'aimiez? Hélas! je ne viens que vous dire
Qu'après m'être longtemps flatté que mon rival
Trouverait à ses vœux quelque obstacle fatal*,
Aujourd'hui qu'il peut tout, que votre hymen s'avance,
Exemple[3] infortuné d'une longue constance,
Après cinq ans d'amour et d'espoir superflus,
Je pars, fidèle encor quand je n'espère plus.
Au lieu de s'offenser, elle pourra me plaindre.
Quoi qu'il en soit, parlons; c'est assez nous contraindre,

1. *Téméraire* : fait à la légère; 2. Sans dévoiler nos sentiments; 3. Se rapporte à *je*.

QUESTIONS

● VERS 18-34. Le passé sentimental d'Antiochus : quelles qualités font de lui un héros romanesque capable de séduire le public de 1670?
● VERS 35-50. Antiochus est-il très franc avec lui-même? Comment essaie-t-il de justifier son désir de rompre le silence que lui a inspiré Bérénice? Quel est son secret espoir (vers 47)?

Et que peut craindre, hélas! un amant sans espoir
Qui peut bien se résoudre à ne la jamais voir?

SCÈNE III. — ANTIOCHUS, ARSACE.

ANTIOCHUS

Arsace, entrerons-nous?

ARSACE

Seigneur, j'ai vu la reine;
Mais, pour me faire voir, je n'ai percé qu'à peine[1]
Les flots toujours nouveaux d'un peuple adorateur
Qu'attire sur ses pas sa prochaine grandeur.
Titus, après huit jours d'une retraite austère,
Cesse enfin de pleurer Vespasien[2] son père.
Cet amant se redonne aux soins* de son amour;
Et, si j'en crois, Seigneur, l'entretien de la cour,
Peut-être avant la nuit l'heureuse Bérénice
Change le nom de reine au nom d'impératrice[3].

ANTIOCHUS

Hélas!

ARSACE

Quoi! ce discours pourrait-il vous troubler*?

ANTIOCHUS

Ainsi donc sans témoins je ne lui puis parler?

ARSACE

Vous la verrez, Seigneur; Bérénice est instruite
Que vous voulez ici la voir seule et sans suite.

---

1. Avec peine; 2. *Vespasien :* empereur depuis 69, mort en 79. Son prestige et son autorité étaient tels que le pouvoir impérial passa sans aucune difficulté à son fils Titus; 3. En celui d'impératrice.

QUESTIONS

■ SUR L'ENSEMBLE DE LA SCÈNE II. — La composition du monologue : ce qu'il a de traditionnel dans son mouvement.

— Est-il habituel qu'un monologue se place ainsi au début d'une tragédie? Comment se justifie celui-ci sur le plan dramatique? sur le plan psychologique?

— Le caractère d'Antiochus : les passions qui l'animent, la décision qu'il veut prendre semblent-elles créer les menaces d'un drame? En quoi ce début de *Bérénice* est-il d'un ton différent des autres tragédies de Racine?

La reine d'un regard a daigné m'avertir
Qu'à votre empressement elle allait consentir;
Et sans doute[1] elle attend le moment favorable
Pour disparaître aux yeux d'une cour qui l'accable.

ANTIOCHUS

Il suffit. Cependant n'as-tu rien négligé
Des ordres importants dont je t'avais chargé?

ARSACE

Seigneur, vous connaissez ma prompte obéissance.
Des vaisseaux dans Ostie[2] armés en diligence,
Prêts à quitter le port de moments en moments[3],
N'attendent pour partir que vos commandements.
Mais qui renvoyez-vous dans votre Comagène[4]?

ANTIOCHUS

Arsace, il faut partir quand j'aurai vu la reine.

ARSACE

Qui doit partir?

ANTIOCHUS

Moi.

ARSACE

Vous?

ANTIOCHUS

En sortant du palais,
Je sors de Rome, Arsace, et j'en sors pour jamais.

ARSACE

Je suis surpris sans doute, et c'est avec justice.
Quoi! depuis si longtemps la reine Bérénice
Vous arrache, Seigneur, du sein de vos États;

1. *Sans doute :* sans aucun doute, certainement; 2. *Ostie :* port de Rome, près des bouches du Tibre; 3. D'un moment à l'autre; 4. *Comagène* (ou Commagène) : pays situé près de l'Euphrate, au nord-est de la Syrie.

QUESTIONS

● VERS 51-68. Importance des renseignements apportés par Arsace (vers 59-60) : comment s'accélère l'action? Dans quelle mesure l'image de la cour impériale est-elle « actualisée » à l'usage du public de 1670?

● VERS 69-78. Comment se fait-il qu'Antiochus n'ait rien dit à Arsace de ses vrais sentiments pour Bérénice ni de son projet de départ? Pourquoi semble-t-il (vers 76 et 78-79) prendre maintenant une décision irrévocable? Est-il au fond si sûr de lui?

Depuis trois ans dans Rome elle arrête vos pas;
Et lorsque cette reine, assurant sa conquête[1],
Vous attend pour témoin de cette illustre[2] fête;
Quand l'amoureux Titus, devenant son époux,
Lui prépare un éclat qui rejaillit sur vous...

ANTIOCHUS

Arsace, laisse-la jouir de sa fortune*,
Et quitte un entretien dont le cours m'importune.

ARSACE

Je vous entends, Seigneur : ces mêmes dignités[3]
Ont rendu Bérénice ingrate* à vos bontés[4].
L'inimitié succède à l'amitié trahie.

ANTIOCHUS

Non, Arsace, jamais je ne l'ai moins haïe.

ARSACE

Quoi donc! de sa grandeur déjà trop prévenu[5],
Le nouvel empereur vous a-t-il méconnu[6]?
Quelque pressentiment de son indifférence
Vous fait-il loin de Rome éviter sa présence?

ANTIOCHUS

Titus n'a point pour moi paru se démentir,
J'aurais tort de me plaindre.

ARSACE

Et pourquoi donc partir?
Quel caprice[7] vous rend ennemi de vous-même?
Le ciel met sur le trône un prince qui vous aime,
Un prince qui jadis, témoin de vos combats,
Vous vit chercher la gloire* et la mort sur ses pas,
Et de qui la valeur, par vos soins secondée,

1. La *conquête* de Titus par son mariage; 2. *Illustre :* d'un éclat éblouissant; 3. Ces dignités elles-mêmes précisément; 4. *Bontés :* marques d'affection; 5. *Prévenu :* enorgueilli à l'avance; 6. *Méconnaître :* affecter de ne plus connaître; 7. *Caprice :* brusque saute d'humeur.

QUESTIONS

● VERS 79-98. La logique d'Arsace : pourquoi ne comprend-il pas Antiochus?

Mit enfin sous le joug la rebelle Judée[1].
Il se souvient du jour illustre et douloureux
Qui décida du sort d'un long siège douteux.
Sur leurs triples remparts les ennemis tranquilles
Contemplaient sans péril nos assauts inutiles;
Le bélier impuissant les menaçait en vain :
Vous seul, Seigneur, vous seul, une échelle à la main,
Vous portâtes la mort jusque sur leurs murailles.
Ce jour presque éclaira vos propres funérailles :
Titus vous embrassa mourant entre mes bras,
Et tout le camp vainqueur pleura votre trépas.
Voici le temps, Seigneur, où vous devez attendre
Le fruit de tant de sang qu'ils vous ont vu répandre.
Si, pressé du désir de revoir vos États,
Vous vous lassez de vivre où vous ne régnez pas,
Faut-il que sans honneur l'Euphrate vous revoie?
Attendez pour partir que César vous renvoie
Triomphant et chargé des titres souverains
Qu'ajoute encore aux rois l'amitié des Romains.
Rien ne peut-il, Seigneur, changer votre entreprise?
Vous ne répondez point?

ANTIOCHUS

Que veux-tu que je dise?
J'attends de Bérénice un moment d'entretien.

ARSACE

Hé bien, Seigneur?

ANTIOCHUS

Son sort décidera du mien.

ARSACE

Comment?

ANTIOCHUS

Sur son hymen j'attends qu'elle s'explique.

---

1. La révolte de la Judée contre Rome commença en 66. Vespasien, qui avait, comme chef de l'armée d'Orient, recommencé méthodiquement la conquête du pays, fut proclamé empereur par les légions avant d'avoir mis fin à la campagne; c'est son fils Titus qu'il chargea de terminer le siège de Jérusalem.

QUESTIONS

● Vers 98-124. Composition de cette tirade. Le rappel de l'héroïsme guerrier d'Antiochus ne modifie-t-il pas l'impression qu'a faite jusqu'ici le personnage? L'argument d'Arsace (vers 115-122) est-il habile? A quel sentiment d'Antiochus fait-il appel?

Si sa bouche s'accorde avec la voix publique,
S'il est vrai qu'on l'élève au trône des Césars,
Si Titus a parlé, s'il l'épouse, je pars.

ARSACE

Mais qui[1] rend à vos yeux cet hymen si funeste*?

ANTIOCHUS

Quand nous serons partis, je te dirai le reste.

ARSACE

Dans quel trouble*, Seigneur, jetez-vous mon esprit!

ANTIOCHUS

La reine vient. Adieu, fais tout ce que j'ai dit.

SCÈNE IV. — BÉRÉNICE, ANTIOCHUS, PHÉNICE.

BÉRÉNICE

Enfin je me dérobe à la joie importune
De tant d'amis nouveaux que me fait la fortune*;
Je fuis de leurs respects l'inutile longueur,
Pour chercher un ami qui me parle du cœur[2].
Il ne faut point mentir, ma juste impatience
Vous accusait déjà de quelque négligence.
Quoi! cet Antiochus, disais-je, dont les soins*
Ont eu tout l'Orient et Rome pour témoins;

---

1. *Qui :* qu'est-ce qui (la forme interrogative *qui* est alors utilisée pour les choses comme pour les personnes) ; 2. Avec le cœur.

QUESTIONS

● VERS 124-134. Comparez l'attitude d'Antiochus à celle des vers 77-78. Est-il aussi catégorique sur la date de son départ? Pourquoi s'obstine-t-il à garder un secret qu'Arsace voudrait lui faire dire?

■ SUR L'ENSEMBLE DE LA SCÈNE III. — Cette scène d'attente fait-elle progresser l'action? Montrez qu'elle accentue pourtant l'intensité dramatique. Imagine-t-on d'autre issue possible que le départ d'Antiochus?

— Le rôle d'Arsace : est-ce un confident qui a beaucoup d'influence sur Antiochus? Les suppositions fausses qu'il fait (vers 89-91 et 92-96) ne montrent-elles pas indirectement les passions dans lesquelles Antiochus ne veut pas se laisser entraîner? S'il n'y a chez Antiochus ni jalousie, ni ambition déçue, ni rancune politique, en quoi la tragédie de *Bérénice* s'annonce-t-elle comme différente des précédentes tragédies de Racine?

— Le passé et les sentiments d'Antiochus, héros chevaleresque : qu'a-t-il de commun avec le Sévère de Polyeucte? Comparez sa situation dans cette scène avec celle de Sévère dans la scène première de l'acte II, chez Corneille.

Lui, que j'ai vu toujours, constant dans mes traverses[1],
Suivre d'un pas égal mes fortunes* diverses;
Aujourd'hui que le ciel semble me présager
Un honneur qu'avec vous je prétends partager[2],
Ce même Antiochus, se cachant à ma vue,
Me laisse à la merci d'une foule inconnue?

ANTIOCHUS

Il est donc vrai, Madame, et, selon ce discours,
L'hymen va succéder à vos longues amours?

BÉRÉNICE

Seigneur, je vous veux bien confier mes alarmes* :
Ces jours ont vu mes yeux baignés de quelques larmes;
Ce long deuil que Titus imposait à sa cour
Avait même en secret suspendu son amour;
Il n'avait plus pour moi cette ardeur assidue
Lorsqu'il passait[3] les jours attaché sur ma vue.
Muet, chargé de soins* et les larmes aux yeux,
Il ne me laissait plus que de tristes* adieux.
Jugez de ma douleur, moi dont l'ardeur extrême,
Je vous l'ai dit cent fois, n'aime en lui que lui-même;
Moi qui, loin des grandeurs dont il est revêtu,
Aurais choisi son cœur et cherché sa vertu*.

ANTIOCHUS

Il a repris pour vous sa tendresse première?

BÉRÉNICE

Vous fûtes spectateur de cette nuit dernière,
Lorsque, pour seconder ses soins* religieux,
Le sénat a placé son père entre les dieux[4].

---

1. *Traverses :* malheurs; 2. *Var.* (éd. 1671) :
Aujourd'hui que les dieux semblent me présager
Un honneur qu'avec lui je prétends partager,
L'abbé de Villars avait en effet fait remarquer que Bérénice, étant juive, ne pouvait attester les *dieux* païens; 3. Ellipse : qu'il avait lorsqu'il passait; 4. L' « apothéose » de l'Empereur est décidée par le sénat, si celui-ci juge le souverain défunt digne de cet honneur.

QUESTIONS

● Vers 135-150. La première impression faite par Bérénice. Ses sentiments pour Antiochus. N'y a-t-il pas un peu d'affectation dans les reproches adressés à un ami trop négligent? Pourquoi Bérénice supporte-t-elle mal les mondanités de la Cour?

● Vers 151-162. Les inquiétudes de Bérénice. Est-elle inconsciente (vers 160) de ce qu'il y a de cruel pour Antiochus dans l'aveu de son amour pour Titus? De quel reproche se défend-elle (vers 161-162)?

De ce juste devoir sa piété contente[1]
A fait place, Seigneur, au soin* de son amante[2];
Et même en ce moment, sans qu'il m'en ait parlé,
Il est dans le sénat, par son ordre assemblé.
Là, de la Palestine il étend la frontière;
Il y joint l'Arabie et la Syrie entière[3];
Et, si de ses amis j'en dois croire la voix,
Si j'en crois ses serments redoublés mille fois,
Il va sur tant d'États couronner Bérénice,
Pour joindre à plus de noms le nom d'impératrice.
Il m'en viendra lui-même assurer en ce lieu.

ANTIOCHUS

Et je viens donc vous dire un éternel adieu.

BÉRÉNICE

Que dites-vous? Ah! ciel! quel adieu! quel langage!
Prince, vous vous troublez* et changez de visage!

ANTIOCHUS

Madame, il faut partir.

BÉRÉNICE

Quoi! ne puis-je savoir
Quel sujet...

ANTIOCHUS *(à part).*

Il fallait partir sans la revoir.

BÉRÉNICE

Que craignez-vous? Parlez[4], c'est trop longtemps se taire.
Seigneur, de ce départ quel est donc le mystère?

---

1. *Contente :* satisfaite; 2. *Amante :* celle qui aime et est aimée; 3. Le royaume de Bérénice s'agrandira donc, au sud, de l'Arabie Pétrée et, au nord, de *la Syrie entière,* c'est-à-dire jusqu'à l'Euphrate (voir carte, page 31); 4. *Var.* (éd. 1671) : *Au nom des dieux, parlez.* Voir la variante des vers 145-146.

QUESTIONS

● VERS 163-177. Importance des faits évoqués ici : comment complètent-ils les informations d'Arsace (vers 55-60)? Y a-t-il toutefois chez Bérénice une certitude absolue sur les intentions de Titus (vers 169 et 173-174 à rapprocher du vers 58)? Bérénice est-elle sans aucune inquiétude? Est-ce par ambition politique qu'elle souhaite voir agrandir ses États et obtenir le rang d'impératrice?

● VERS 178-184. La stupeur de Bérénice : ne soupçonnait-elle pas qu'Antiochus était toujours amoureux d'elle? ou ne voulait-elle pas y croire?

ANTIOCHUS

Au moins souvenez-vous que je cède à vos lois,
Et que vous m'écoutez pour la dernière fois.
Si, dans ce haut degré de gloire* et de puissance,
Il vous souvient des lieux où vous prîtes naissance,
Madame, il vous souvient que mon cœur en ces lieux
Reçut le premier trait qui partit de vos yeux :
J'aimai. J'obtins l'aveu[1] d'Agrippa votre frère[2];
Il vous parla pour moi. Peut-être sans colère
Alliez-vous de mon cœur recevoir le tribut;
Titus, pour mon malheur, vint, vous vit et vous plut[3].
Il parut devant vous dans tout l'éclat d'un homme
Qui porte entre ses mains la vengeance de Rome.
La Judée en pâlit. Le triste* Antiochus
Se compta le premier au nombre des vaincus.
Bientôt, de mon malheur interprète sévère[4],
Votre bouche à la mienne ordonna de se taire.
Je disputai[5] longtemps, je fis parler mes yeux;
Mes pleurs et mes soupirs vous suivaient en tous lieux.
Enfin votre rigueur emporta la balance.
Vous sûtes m'imposer l'exil ou le silence.
Il fallut le[6] promettre, et même le jurer.
Mais, puisqu'en ce moment j'ose me déclarer,
Lorsque vous m'arrachiez cette injuste promesse,
Mon cœur faisait serment de vous aimer sans cesse.

BÉRÉNICE

Ah! que me dites-vous?

---

1. *Aveu :* approbation; **2.** Agrippa II, fils d'Agrippa Ier; **3.** Souvenir de l'*Anthologie grecque :* « Je la vis, je l'aimai, je lui plus », auquel se mêle une transposition galante du mot guerrier de Jules César : « Je suis venu, j'ai vu, j'ai vaincu »; **4.** Donnant à mon malheur une signification cruelle (comme un augure qui *interprète* un oracle); **5.** *Disputer :* ici, être en désaccord, résister; **6.** Le silence.

QUESTIONS

● VERS 185-208. La composition de cette tirade. Bérénice ne connaît-elle pas tout le passé que rappelle Antiochus? Le spectateur n'en a-t-il pas été averti aux vers 23-26? Montrez que c'est l'intérêt psychologique qui importe ici : comment Antiochus conçoit-il sa destinée? — Pourquoi faut-il que Bérénice n'ait jamais été sensible à l'amour d'Antiochus? — Différence de sa situation avec celle de Pauline en face de Sévère (*Polyeucte*, II, II).

Phot. Lipnitzki.

« BÉRÉNICE » À LA COMÉDIE-FRANÇAISE EN 1950

Bérénice (Annie Ducaux) et Antiochus.

ANTIOCHUS

Je me suis tu cinq ans,
Madame, et vais encor me taire plus longtemps.
De mon heureux rival j'accompagnai les armes;
J'espérai de verser mon sang après mes larmes,
Ou qu'au moins, jusqu'à vous porté par mille exploits,
Mon nom[1] pourrait parler, au défaut de ma voix.
Le ciel sembla promettre une fin à ma peine :
Vous pleurâtes ma mort[2], hélas! trop peu certaine.
Inutiles périls! Quelle était mon erreur!
La valeur de Titus surpassait ma fureur*.
Il faut qu'à sa vertu* mon estime réponde[3].
Quoique attendu, Madame, à l'empire du monde[4],
Chéri de l'univers, enfin aimé de vous,
Il semblait à lui seul appeler[5] tous les coups,
Tandis que, sans espoir, haï, lassé de vivre,
Son malheureux rival ne semblait que le suivre.
Je vois que votre cœur m'applaudit en secret :
Je vois que l'on[6] m'écoute avec moins de regret,
Et que, trop attentive à ce récit funeste*,
En faveur de Titus vous pardonnez le reste[7].
Enfin, après un siège aussi cruel* que lent,
Il dompta les mutins, reste pâle et sanglant
Des flammes, de la faim, des fureurs intestines,
Et laissa les remparts cachés sous leurs ruines[8].
Rome vous vit, Madame, arriver avec lui.
Dans l'Orient désert quel devint mon ennui*!
Je demeurai longtemps errant dans Césarée[9],
Lieux charmants* où mon cœur vous avait adorée.
Je vous redemandais à vos tristes[10]* États;

---

1. *Nom :* renom; **2.** V. vers 112-114; **3.** *Répondre :* correspondre; **4.** Quoique son élévation à l'Empire soit assurée; **5.** *Appeler :* attirer sur lui et défier; **6.** Valeur affective du pronom indéfini, désignant la personne à qui l'on parle; **7.** L'audace de la déclaration; **8.** Raccourci expressif : les fossés sont comblés par l'effondrement des remparts; **9.** *Césarée :* résidence du procurateur romain de Judée; Racine en fait la capitale de Bérénice (voir la carte, page 31); **10.** *Tristes* depuis le départ de la reine.

QUESTIONS

● VERS 209-232. Antiochus et la gloire : comparez à ce qu'en dit Arsace aux vers 100-115; pourquoi Antiochus sous-estime-t-il sa propre valeur que tous reconnaissent pourtant? Est-il jaloux de Titus? — Importance des vers 225-228 : est-ce vraiment l'attitude de Bérénice? ou les sentiments que lui prête Antiochus?

Je cherchais en pleurant les traces de vos pas.
Mais enfin, succombant[1] à ma mélancolie,
Mon désespoir tourna mes pas vers l'Italie;
Le sort m'y réservait le dernier de ses coups :
Titus en m'embrassant m'amena devant vous.
Un voile d'amitié vous trompa l'un et l'autre,
Et mon amour devint le confident du vôtre.
Mais toujours quelque espoir flattait mes déplaisirs :
Rome, Vespasien traversaient[2] vos soupirs* :
Après tant de combats, Titus cédait peut-être.
Vespasien est mort, et Titus est le maître.
Que ne fuyais-je alors! J'ai voulu quelques jours
De son nouvel empire examiner le cours[3].
Mon sort est accompli : votre gloire* s'apprête;
Assez d'autres, sans moi, témoins de cette fête,
A vos heureux transports* viendront joindre les leurs :
Pour moi, qui ne pourrais y mêler que des pleurs,
D'un inutile amour trop constante victime,
Heureux, dans mes malheurs, d'en avoir pu sans crime[4]
Conter toute l'histoire aux yeux qui les ont faits,
Je pars plus amoureux que je ne fus jamais.

BÉRÉNICE

Seigneur, je n'ai[5] pas cru que, dans une journée
Qui doit avec César[6] unir ma destinée,
Il fût quelque mortel qui pût impunément
Se venir à mes yeux déclarer mon amant.
Mais de mon amitié mon silence est un gage :
J'oublie, en sa faveur, un discours qui m'outrage.
Je n'en ai point troublé le cours injurieux;
Je fais plus : à regret je reçois vos adieux.
Le ciel sait qu'au milieu des honneurs qu'il m'envoie

1. Comme je succombais; 2. *Traverser :* contrarier; 3. Observer le déroulement de la situation alors qu'il vient d'accéder à l'Empire; 4. Sans encourir de reproche. Bérénice ne s'est pas en effet fâchée (v. vers 228); 5. Je n'aurais; 6. *César :* titre officiel que portent tous les empereurs depuis Auguste.

QUESTIONS

● VERS 233-258. Comprend-on maintenant pourquoi Antiochus est revenu sur tout son passé? Comment justifie-t-il son destin aux yeux de Bérénice et à ses propres yeux? Rapprochez le vers 258 du vers 208.

Je n'attendais que vous pour témoin de ma joie.
Avec tout l'univers j'honorais vos vertus*.
Titus vous chérissait, vous admiriez Titus.
Cent fois je me suis fait une douceur extrême
D'entretenir Titus dans un autre lui-même.

ANTIOCHUS

Et c'est ce que je fuis. J'évite, mais trop tard,
Ces cruels* entretiens où je n'ai point de part.
Je fuis Titus : je fuis ce nom qui m'inquiète[1],
Ce nom qu'à tous moments votre bouche répète.
Que vous dirais-je enfin? Je fuis des yeux distraits
Qui, me voyant toujours, ne me voyaient jamais.
Adieu. Je vais, le cœur trop plein de votre image,
Attendre, en vous aimant, la mort pour mon partage.
Surtout ne craignez point qu'une aveugle douleur
Remplisse l'univers du bruit de mon malheur :
Madame, le seul bruit d'une mort que j'implore
Vous fera souvenir que je vivais encore.
Adieu.

---

1. *Inquiéter* : désespérer.

QUESTIONS

● VERS 259-272. Bérénice a-t-elle l'attitude que souhaitait Antiochus au vers 47? Pourquoi ce ton hautain d'impératrice outragée? Est-ce par orgueil? par souci de cacher son émotion? — Le pardon et les regrets de Bérénice ne risquent-ils pas d'être plus douloureux encore pour Antiochus que sa colère? L'inconsciente cruauté des deux derniers vers.

● VERS 273-285. La dignité d'Antiochus ne rend-elle pas son désespoir plus touchant? Relevez les mots et les expressions qui laissent voir la profondeur de sa tristesse.

■ SUR L'ENSEMBLE DE LA SCÈNE IV. — La composition de cette scène. Pourquoi Bérénice ne s'attendait-elle pas à une scène d'adieu? Quelle situation équivoque longtemps prolongée trouve ici sa solution? Comparez la situation d'Antiochus, confident de Bérénice, à celle d'Atalide dans *Bajazet*.

— Le caractère de Bérénice : ses sentiments à l'égard de Titus, à l'égard d'Antiochus. Ce partage entre l'amitié et l'amour prouve-t-il que Bérénice n'est pas portée aux passions exclusives? Est-elle tendre ou cruelle?

— Comparez cette scène aux adieux de Sévère et de Pauline (*Polyeucte*, II, II).

SCÈNE V. — BÉRÉNICE, PHÉNICE.

PHÉNICE

Que je le plains! Tant de fidélité,
Madame, méritait plus de prospérité.
Ne le plaignez-vous pas?

BÉRÉNICE

Cette prompte retraite
Me laisse, je l'avoue, une douleur secrète.

PHÉNICE

Je l'aurais retenu.

BÉRÉNICE

Qui? moi, le retenir?
J'en dois perdre plutôt jusques au souvenir.
Tu veux donc que je flatte une ardeur insensée?

PHÉNICE

Titus n'a point encore expliqué sa pensée.
Rome vous voit, Madame, avec des yeux jaloux;
La rigueur de ses lois m'épouvante pour vous :
L'hymen chez les Romains n'admet qu'une Romaine;
Rome hait tous les rois, et Bérénice est reine.

BÉRÉNICE

Le temps n'est plus, Phénice, où je pouvais trembler.
Titus m'aime, il peut tout, il n'a plus qu'à parler.
Il verra le sénat m'apporter ses hommages,
Et le peuple de fleurs couronner ses images[1].
De cette nuit, Phénice, as-tu vu la splendeur?
Tes yeux ne sont-ils pas tous[2] pleins de sa grandeur?

---

1. *Var.* (éd. 1671) : *Nos images;* 2. Dans la langue du XVIIe siècle, il n'existe pas encore de distinction stricte entre *tout* adverbe et *tout* adjectif; c'est l'usage, comme ici, de faire l'accord avec l'adjectif qualificatif qui suit. En français moderne, cette habitude ne s'est conservée qu'au cas où l'adjectif est féminin et commence par une consonne (ex. : *toute seule*).

QUESTIONS

● VERS 286-296. Les deux répliques de Bérénice : en quoi confirment-elles la sincérité des propos tenus par Bérénice à Antiochus? — Le rôle de Phénice : quel trait traditionnel des confidents se retrouve chez elle? Comment ses appréhensions préparent-elles le dénouement?

Ces flambeaux, ce bûcher[1], cette nuit enflammée,
Ces aigles, ces faisceaux, ce peuple, cette armée,
Cette foule de rois, ces consuls, ce sénat,
Qui tous de mon amant[2] empruntaient leur éclat;
Cette pourpre, cet or, que rehaussait sa gloire,
Et ces lauriers encor[3] témoins[4] de sa victoire;
Tous ces yeux qu'on voyait venir de toutes parts
Confondre sur lui seul leurs avides regards;
Ce port majestueux, cette douce présence.
Ciel[5]! avec quel respect et quelle complaisance
Tous les cœurs en secret l'assuraient de leur foi!
Parle : peut-on le voir sans penser, comme moi,
Qu'en quelque obscurité que le sort l'eût fait naître,
Le monde en le voyant eût reconnu son maître[6]?
Mais, Phénice, où m'emporte un souvenir charmant*?
Cependant Rome entière, en ce même moment,
Fait des vœux pour Titus et par des sacrifices,
De son règne naissant célèbre[7] les prémices[8].
Que tardons-nous? Allons, pour son empire heureux[9],
Au ciel qui le protège offrir aussi nos vœux.
Aussitôt, sans l'attendre, et sans être attendue,
Je reviens le chercher, et dans cette entrevue
Dire tout ce qu'aux cœurs l'un de l'autre contents
Inspirent des transports* retenus si longtemps.

---

1. Il s'agit du *bûcher* de l'apothéose : le corps de l'empereur y était exposé pendant sept jours; puis son successeur allumait ce bûcher avec un flambeau. Ces détails ont sans doute été suggérés à Racine par un texte d'Hérodien (IV, III), qui raconte l'apothéose de Sévère (IIIe siècle); **2.** Voir note du vers 13; **3.** Coupe après *encor* (*Et ces lauriers encor — témoins...*); **4.** *Témoins :* témoignages, preuves; **5.** *Var.* (éd. 1671) : *Cieux;* **6.** Ce vers fut appliqué par les courtisans à Louis XIV; **7.** *Var.* (éd. 1671) : *consacre;* **8.** *Prémices :* débuts; **9.** Pour le bonheur de son empire. *Var.* (éd. 1671) :

Je prétends quelque part à des souhaits si doux.
Phénice, allons nous joindre aux vœux qu'on fait pour nous.

QUESTIONS

● VERS 297-326. La composition et le mouvement de cette tirade. — Les sentiments de Bérénice. — L'art avec lequel Racine évoque les fastes de la Rome impériale. Montrez que cette évocation, loin d'être un ornement artificiel, s'associe étroitement à l'émotion joyeuse de Bérénice.

● Pour les questions relatives à l'ensemble de la scène V et à l'ensemble du premier acte, voir page 49.

ACTE II

SCÈNE PREMIÈRE. — TITUS, PAULIN, SUITE.

TITUS

A-t-on vu de ma part le roi de Comagène?
Sait-il que je l'attends?

PAULIN

J'ai couru chez la reine.
Dans son appartement ce prince avait paru;
Il en était sorti lorsque j'y suis couru[1];
De vos ordres, Seigneur, j'ai dit qu'on l'avertisse.

TITUS

Il suffit. Et que fait la reine Bérénice?

---

1. L'emploi de l'auxiliaire « être » n'est plus correct avec le verbe « courir »; mais si l'on substitue *accourir* à *courir,* on comprend très bien la nuance entre *j'ai couru* (vers 328) et *j'y suis couru.*

QUESTIONS

■ SUR L'ENSEMBLE DE LA SCÈNE V. — Devant quel sentiment s'efface rapidement le souvenir d'Antiochus?

— La naïveté de Bérénice, témoignage de sa pureté et de sa jeunesse. Le bonheur et la joie ont-ils souvent l'occasion de s'exprimer dans la tragédie?

■ SUR L'ENSEMBLE DU PREMIER ACTE. — La situation à la fin du premier acte semble-t-elle contenir en puissance les éléments d'un conflit tragique?

— La mise en marche de l'action : le départ d'Antiochus empêcherait-il l'action de se nouer? Comparez l'intention qu'a Antiochus de partir avec celle d'Hippolyte au début de *Phèdre :* qu'en conclure sur la technique racinienne? Comparez également ce premier acte au premier acte d'*Andromaque* ou de *Britannicus :* le rythme de l'action est-il le même? Est-ce dans le même genre de tragédie qu'on a l'impression de pénétrer?

PAULIN

La reine, en ce moment, sensible à vos bontés[1],
Charge le ciel de vœux pour vos prospérités.
Elle sortait, Seigneur.

TITUS

Trop aimable princesse!
Hélas!

PAULIN

En sa faveur d'où naît cette tristesse?
L'Orient presque entier va fléchir sous sa loi[2] :
Vous la plaignez?

TITUS

Paulin, qu'on vous laisse avec moi.

SCÈNE II. — TITUS, PAULIN.

TITUS

Hé bien, de mes desseins Rome encore incertaine
Attend que[3] deviendra le destin de la reine,
Paulin; et les secrets de son cœur et du mien
Sont de tout l'univers devenus l'entretien.
Voici le temps enfin qu'[4]il faut que je m'explique.
De la reine et de moi que dit la voix publique?
Parlez : qu'entendez-vous?

PAULIN

J'entends de tous côtés
Publier vos vertus*, Seigneur, et ses beautés.

1. Voir la note du vers 90; 2. Voir vers 171 et 172; 3. Ce que; 4. Où.

QUESTIONS

■ SUR LA SCÈNE PREMIÈRE. — La première image de Titus : a-t-il l'autorité et la dignité qu'on pourrait attendre d'un souverain? Que présage la réflexion de Paulin (vers 336-338)?

TITUS

Que dit-on des soupirs* que je pousse pour elle?
Quel succès[1] attend-on d'un amour si fidèle?

PAULIN

Vous pouvez tout. Aimez, cessez d'être amoureux,
La cour sera toujours du parti de vos vœux.

TITUS

Et je l'ai vue aussi cette cour peu sincère,
A ses maîtres toujours trop soigneuse de plaire,
Des crimes de Néron approuver les horreurs;
Je l'ai vue à genoux consacrer[2] ses fureurs*.
Je ne prends point pour juge une cour idolâtre,
Paulin : je me propose un plus noble[3] théâtre[4];
Et, sans prêter l'oreille à la voix des flatteurs,
Je veux par votre bouche entendre tous les cœurs.
Vous me l'avez promis. Le respect et la crainte
Ferment autour de moi le passage à la plainte;
Pour mieux voir, cher Paulin, et pour entendre mieux,
Je vous ai demandé des oreilles, des yeux;
J'ai mis même à ce prix mon amitié secrète :
J'ai voulu que des cœurs vous fussiez l'interprète;
Qu'au travers des flatteurs votre sincérité
Fît toujours jusqu'à moi passer la vérité.
Parlez donc. Que faut-il que Bérénice espère?
Rome lui sera-t-elle indulgente ou sévère?
Dois-je croire qu'assise au trône des Césars
Une si belle reine offensât ses regards?

PAULIN

N'en doutez point, Seigneur; soit raison, soit caprice,
Rome ne l'attend point pour son impératrice.

---

1. *Succès :* issue (bonne ou mauvaise); 2. *Consacrer :* attribuer une valeur sacrée; 3. *Var.* (éd. 1671) : *ample;* 4. Au sens de *public* (allusion au goût de Néron pour les représentations théâtrales).

QUESTIONS

● VERS 339-350. Comment se transforme le Titus autoritaire et inquiet de la scène précédente? — Le rôle du courtisan devant le monarque absolu : sa prudence.

● VERS 351-370. En opposant Titus à Néron (vers 351-354), Racine est-il fidèle à la vérité historique? Quelle image de Néron venait immédiatement à l'esprit des spectateurs de 1670? — Les allusions aux mœurs de la Cour : leur actualité pour le public de 1670. — Étudiez le ton des vers 359-366 : quelle est la crainte secrète des monarques absolus?

On sait qu'elle est charmante*, et de si belles mains[1]
Semblent vous demander l'empire des humains;
Elle a même, dit-on, le cœur d'une Romaine;
Elle a mille vertus*; mais, Seigneur, elle est reine.
Rome, par une loi qui ne se peut changer,
N'admet avec son sang aucun sang étranger
Et ne reconnaît point les fruits illégitimes
Qui naissent d'un hymen contraire à ses maximes[2].
D'ailleurs, vous le savez, en bannissant ses rois,
Rome à ce nom, si noble et si saint autrefois,
Attacha pour jamais une haine puissante;
Et quoiqu'[3]à ses Césars fidèle, obéissante,
Cette haine, Seigneur, reste de sa fierté[4],
Survit dans tous les cœurs après la liberté[5].
Jules[6], qui le premier la soumit à ses armes,
Qui fit taire les lois dans le bruit des alarmes*,
Brûla pour Cléopâtre; et, sans se déclarer,
Seule dans l'Orient la laissa soupirer.
Antoine[7], qui l'aima jusqu'à l'idolâtrie,
Oublia dans son sein sa gloire* et sa patrie,
Sans oser toutefois se nommer son époux :
Rome l'alla chercher jusques à ses genoux
Et ne désarma point sa fureur* vengeresse
Qu'elle n'eût accablé l'amant et la maîtresse.
Depuis ce temps, Seigneur, Caligula, Néron,
Monstres dont à regret je cite ici le nom,
Et qui, ne conservant que la figure d'homme,
Foulèrent à leurs pieds toutes les lois de Rome,
Ont craint cette loi seule et n'ont point à nos yeux

---

1. Les commentateurs de Racine ont voulu voir ici une allusion à Madame (Henriette d'Angleterre), qui était aimée de Louis XIV; plus loin (vers 379), ils ont pensé aux enfants nés de la liaison du roi avec Mlle de La Vallière; **2.** *Maximes :* ici, règles de la vie politique; **3.** Quoique [Rome soit...]; **4.** *Fierté :* caractère farouche et énergique; **5.** C'est-à-dire après la fin du régime républicain. En effet, depuis la révolution de 509 av. J.-C. (expulsion des Tarquins), le titre de « roi » était abhorré des Romains, et même sous le régime impérial on garda la façade des institutions républicaines; **6.** *Jules* César, après sa victoire sur Pompée à Pharsale (48 av. J.-C.), passa en Egypte; il se lia, pour des raisons politiques aussi bien que sentimentales, avec Cléopâtre, dont il eut un fils. Contrairement à ce qui est dit au vers 390, la reine d'Egypte revint à Rome avec César (45) et y fut reçue officiellement; **7.** Après la mort de César, Antoine, chargé des affaires d'Orient, devint lui aussi l'amant de Cléopâtre et son allié. Octave vainquit les forces unies d'Antoine et de Cléopâtre à la bataille navale d'Actium; la reine, trahissant en secret la cause d'Antoine, essaya alors de traiter avec Octave, mais en vain. Antoine, puis Cléopâtre se donnèrent la mort.

Allumé le flambeau d'un hymen odieux.
Vous m'avez commandé surtout d'être sincère.
De l'affranchi Pallas[1] nous avons vu le frère,
Des fers de Claudius Félix encor flétri[2],
De deux[3] reines, Seigneur, devenir le mari;
Et, s'il faut jusqu'au bout que je vous obéisse,
Ces deux reines étaient du sang de Bérénice[4].
Et vous croiriez pouvoir, sans blesser nos regards,
Faire entrer une reine au lit de nos Césars,
Tandis que l'Orient dans le lit de ses reines
Voit passer un esclave au sortir de nos chaînes?
C'est ce que les Romains pensent de votre amour :
Et je ne réponds pas[5], avant la fin du jour,
Que le sénat, chargé des vœux de tout l'empire,
Ne vous redise ici ce que je viens de dire;
Et que Rome avec lui, tombant à vos genoux,
Ne vous demande un choix digne d'elle et de vous.
Vous pouvez préparer, Seigneur, votre réponse.

TITUS

Hélas! à quel amour on veut que je renonce!

PAULIN

Cet amour est ardent, il le faut confesser.

TITUS

Plus ardent mille fois que tu ne peux penser,
Paulin. Je me suis fait un plaisir nécessaire
De la voir chaque jour, de l'aimer, de lui plaire.

---

1. *Pallas :* affranchi et « ministre » de Claude; il en est question dans *Britannicus :* Agrippine, conformément à la vérité historique, en fait son conseiller politique; 2. Félix (frère de Pallas), encore flétri par les fers de l'empereur Claude (dont il était aussi l'esclave affranchi); 3. Félix, procurateur de Judée, avait épousé Drusilla Ire, sœur d'Agrippa II et de Bérénice, puis Drusilla II, petite-fille d'Antoine et de Cléopâtre; 4. Bérénice, comme les deux Drusilla, descendait de Cléopâtre et des Lagides, rois d'Egypte; 5. Je ne garantis pas.

QUESTIONS

● VERS 371-419. Composition de cette tirade. Faut-il reprocher à Paulin d'avoir d'abord (vers 345 et 349) dissimulé son opinion? — Les arguments historiques : sont-ils de nature à convaincre Titus? Quels personnages servent d'exemples à suivre ou, au contraire, à éviter? Racine reste-t-il fidèle à l'esprit de l'histoire romaine? — Le dernier argument de Paulin peut-il plus que les autres influencer l'empereur? — Les qualités de Paulin, bon conseiller du prince : comparez-le au Burrhus de *Britannicus.*

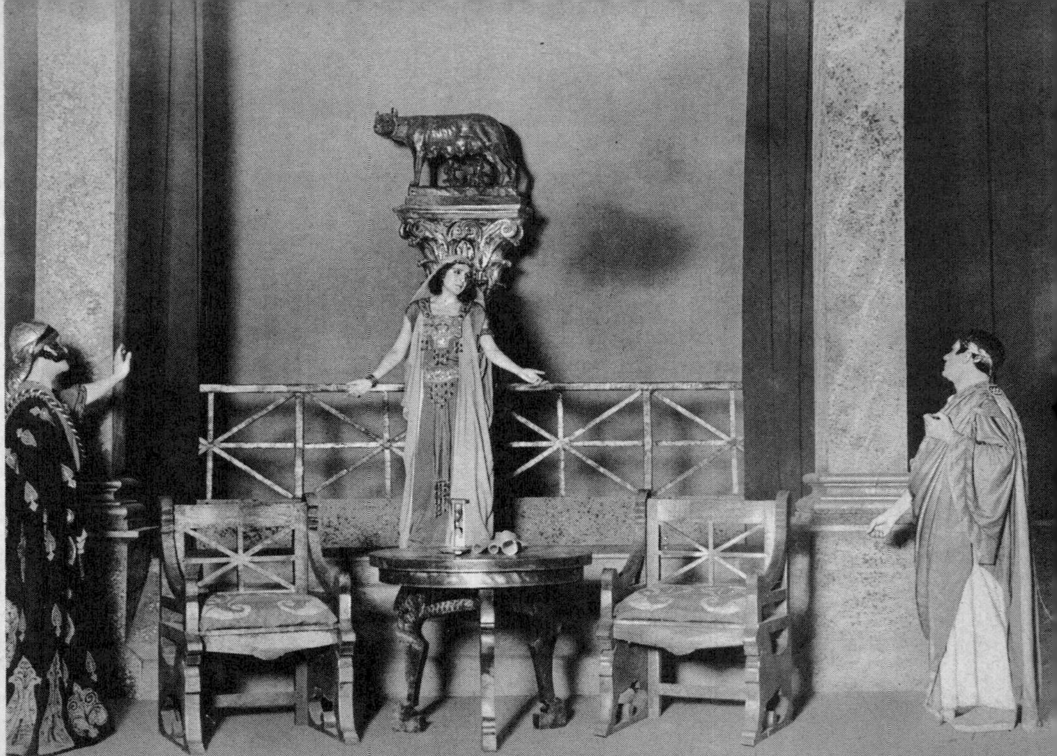

MISE EN SCÈNE DE *BÉRÉNICE* AU THÉÂTRE ANTOINE (1932)

Véra Sergine tient le rôle de Bérénice, Henri Rollan celui de Titus.

Bibliothèque de l'Arsenal. Fonds Rondel.

Phot. Larousse.

JEAN-LOUIS BARRAULT (Antiochus) ET MARIE BELL (Bérénice) AU THÉÂTRE MARIGNY (1954)

« Un hexagone rigoureux, recouvert de céramique bistre, sera la plate-forme de l'action. Chaque côté est percé d'une porte nue : celle de Titus, celle de Bérénice, celle d'Antiochus. Pas un meuble, pas un siège. » (J.-L. Barrault.)

Phot. Bernand.

J'ai fait plus, je n'ai rien de secret à tes yeux,
J'ai pour elle cent fois rendu grâces aux dieux
D'avoir choisi mon père au fond de l'Idumée[1],
D'avoir rangé sous lui l'Orient et l'armée,
Et, soulevant encor le reste des humains,
Remis Rome sanglante en ses paisibles mains[2].
J'ai même souhaité la place de mon père[3],
Moi, Paulin, qui cent fois, si le sort moins sévère
Eût voulu de sa vie étendre les liens[4],
Aurais donné mes jours pour prolonger les siens :
Tout cela (qu'un amant sait mal ce qu'il désire!)
Dans l'espoir d'élever Bérénice à l'empire,
De reconnaître[5] un jour son amour et sa foi[6],
Et de voir à ses pieds tout le monde avec moi.
Malgré tout mon amour, Paulin, et tous ses charmes*,
Après mille serments appuyés de mes larmes,
Maintenant que je puis couronner tant d'attraits,
Maintenant que je l'aime encor plus que jamais,
Lorsqu'un heureux hymen, joignant nos destinées,
Peut payer en un jour les vœux de cinq années,
Je vais, Paulin... O ciel! puis-je le déclarer?

PAULIN

Quoi, Seigneur?

TITUS

Pour jamais je vais m'en séparer.

---

1. *Idumée :* région située au sud de la Judée ; Vespasien, chargé de réprimer la révolte de Judée, s'y trouvait quand l'armée le proclama empereur ; 2. En un an et demi (juin 68 - décembre 69), Rome avait vu successivement quatre empereurs renversés par des révoltes militaires (Néron, Galba, Othon, Vitellius) ; des luttes sanglantes avaient marqué ces révolutions. Vespasien, à son tour, dut livrer bataille dans Rome pour réduire les légions de Vitellius ; 3. Racine semble faire allusion aux velléités de Titus de se faire couronner roi. Voir le paragraphe V de Suétone dans la Documentation thématique ; 4. Reculer les bornes, allonger ; 5. *Reconnaître :* témoigner de la reconnaissance à... ; 6. *Foi :* fidélité.

QUESTIONS

● VERS 420-445. La réaction de Titus (vers 420) : espérait-il donc un encouragement de la part de Paulin? — Le contraste entre le ton de Titus (vers 422-445) et celui de Paulin (vers 371-419) : montrez qu'il révèle le conflit entre les réalités politiques et les rêves de l'amour. — Comment s'explique le besoin de confidence de Titus, alors que Paulin vient de lui donner un conseil si cruel? — La part que Titus assigne au destin dans la réalisation de son bonheur; importance de l'aveu fait au vers 435.

● VERS 446. L'effet de cette déclaration de Titus; qu'attendait-on plutôt?

Mon cœur en ce moment[1] ne vient pas de se rendre.
Si je t'ai fait parler, si j'ai voulu t'entendre,
Je voulais que ton zèle achevât en secret
De confondre[2] un amour qui se tait à regret.
Bérénice a longtemps balancé[3] la victoire;
Et si je penche enfin du côté de ma gloire*,
Crois qu'il m'en a coûté, pour vaincre tant d'amour,
Des combats dont mon cœur saignera plus d'un jour.
J'aimais, je soupirais dans une paix profonde :
Un autre était chargé de l'empire du monde.
Maître de mon destin, libre de mes soupirs*,
Je ne rendais qu'à moi compte de mes désirs.
Mais à peine le ciel eut rappelé mon père,
Dès que ma triste* main eut fermé sa paupière,
De mon aimable[4] erreur je fus désabusé :
Je sentis le fardeau qui m'était imposé;
Je connus que bientôt, loin d'être à ce que j'aime,
Il fallait, cher Paulin, renoncer à moi-même;
Et que le choix des dieux, contraire à mes amours,
Livrait à l'univers le reste de mes jours.
Rome observe aujourd'hui ma conduite nouvelle.
Quelle honte pour moi, quel présage pour elle,
Si dès le premier pas, renversant tous ses droits,
Je fondais mon bonheur sur le débris[5] des lois!
Résolu d'accomplir ce cruel* sacrifice,
J'y voulus préparer la triste* Bérénice;
Mais par où commencer? Vingt fois, depuis huit jours,
J'ai voulu devant elle en ouvrir le discours;
Et, dès le premier mot, ma langue embarrassée

1. A cet instant même; 2. *Confondre :* mettre dans l'impossibilité de se défendre; 3. *Balancer* (sens actif) : rendre incertain; 4. *Aimable :* digne d'être aimée et cultivée; 5. *Débris :* ruine, destruction.

QUESTIONS

● VERS 447-454. Pourquoi Titus avait-il besoin des conseils de Paulin, puisque sa décision était prise? Est-il sincère avec lui-même en s'estimant résolu? Le sentiment de sa gloire (vers 452) peut-il se comparer à celui des héros cornéliens?

● VERS 455-470. Rapprochez les vers 455-461 des vers 431-436 : les contradictions de Titus. — Importance des vers 465-466 : comment Titus esquive-t-il une part de sa responsabilité? Pourquoi ne songe-t-il pas à renoncer à l'Empire?

Dans ma bouche vingt fois a demeuré[1] glacée.
J'espérais que du moins mon trouble* et ma douleur
Lui ferait[2] pressentir notre commun malheur;
Mais, sans me soupçonner, sensible à mes alarmes*,
Elle m'offre sa main pour essuyer mes larmes,
Et ne prévoit rien moins, dans cette obscurité[3],
Que la fin d'un amour qu'elle a trop mérité.

Enfin j'ai ce matin rappelé ma constance[4] :
Il faut la voir, Paulin, et rompre le silence.
J'attends Antiochus pour lui recommander
Ce dépôt précieux que je ne puis garder :
Jusque dans l'Orient je veux qu'il la ramène.
Demain Rome avec lui verra partir la reine.
Elle en sera bientôt instruite par ma voix;
Et je vais lui parler pour la dernière fois.

PAULIN

Je n'attendais pas moins de cet amour de gloire*
Qui partout après vous attacha la victoire.
La Judée asservie[5], et ses remparts fumants,
De cette noble ardeur éternels monuments[6],
Me répondaient assez que votre grand courage
Ne voudrait pas, Seigneur, détruire son ouvrage;
Et qu'un héros vainqueur de tant de nations
Saurait bien, tôt ou tard, vaincre ses passions.

---

1. Demeurer, suivi d'un attribut, ne se construit plus aujourd'hui qu'avec l'auxiliaire « être », mais la langue du XVIIe siècle connaît la construction avec l'un ou l'autre des deux auxiliaires; le passé composé avec « avoir » insiste sur l'action qui a eu lieu; le passé composé avec « être » insiste davantage sur l'état qui en résulte; 2. Accord au singulier, car les deux sujets n'expriment qu'une seule idée; cette licence grammaticale est d'ailleurs nécessaire ici pour la prosodie; 3. Dans cet état d'ignorance où elle est laissée par manque d'éclaircissement; 4. J'ai rassemblé mon énergie; 5. L'asservissement de la Judée; 6. *Monument :* ce qui garde le souvenir.

QUESTIONS

● VERS 471-490. Rapprochez les vers 471-482 des vers 151-172 : la même situation vue par Titus et par Bérénice. — L'irrésolution et la timidité de Titus (vers 473-482); sa délicatesse (vers 477-478) ne marque-t-elle pas une certaine peur des responsabilités? Étudiez le ton et le style des vers 483-490 : comment Titus croit-il se donner à lui-même de l'énergie? Importance des vers 485-487 pour l'action.

● VERS 491-498. Quel sentiment Paulin veut-il encourager chez l'Empereur? A quel mot s'accroche-t-il (v. vers 452)? Est-il insensible à la douleur de Titus? Serait-il plus adroit de le plaindre? Titus mérite-t-il l'hommage « cornélien » du vers 498?

TITUS

Ah! que sous de beaux noms cette gloire* est cruelle*!
Combien mes tristes* yeux la trouveraient plus belle,
S'il ne fallait encor qu'affronter le trépas!
Que dis-je! Cette ardeur que j'ai pour ses appas,
Bérénice en mon sein l'a jadis allumée.
Tu ne l'ignores pas : toujours la renommée
Avec le même éclat n'a pas semé mon nom;
Ma jeunesse, nourrie[1] à la cour de Néron,
S'égarait, cher Paulin, par l'exemple abusée,
Et suivait du plaisir la pente trop aisée[2].
Bérénice me plut. Que ne fait point un cœur
Pour plaire à ce qu'il aime et gagner son vainqueur?
Je prodiguai mon sang; tout fit place à mes armes.
Je revins triomphant. Mais le sang et les larmes
Ne me suffisaient pas pour mériter ses vœux[3] :
J'entrepris le bonheur de mille malheureux.
On vit de toutes parts mes bontés se répandre :
Heureux, et plus heureux que tu ne peux comprendre,
Quand je pouvais paraître à ses yeux satisfaits
Chargé de mille cœurs conquis par mes bienfaits.
Je lui dois tout, Paulin. Récompense cruelle*!
Tout ce que je lui dois va retomber sur elle.
Pour prix de tant de gloire* et de tant de vertus*,
Je lui dirai : « Partez, et ne me voyez plus. »

PAULIN

Hé quoi? Seigneur, hé quoi? cette magnificence
Qui va jusqu'à l'Euphrate étendre sa puissance,

---

1. *Nourrie :* élevée. Vespasien, d'origine bourgeoise, avait commencé sa carrière sous Néron, et Titus, selon Suétone, fut élevé à la Cour avec Britannicus; 2. Selon Suétone (paragraphes VI et VII, voir Documentation thématique), la jeunesse de Titus fut peu exemplaire; 3. Mériter qu'elle souhaite d'être unie à moi.

QUESTIONS

● VERS 499-522. Pourquoi le dernier argument de Paulin a-t-il réveillé la douleur de Titus? Le sentiment de la gloire peut-il aisément surmonter la passion chez Titus? — Comment Racine s'est-il servi habilement des données de l'histoire et de la réputation de Titus, surnommé « les délices du genre humain »? Comparez l'influence que l'amour de Bérénice a eue sur la vie morale de Titus à celle que l'amour de Junie a sur le destin de Néron. Cet amour mêlé de reconnaissance est-il le même que « l'amour sur estime » des héros cornéliens?

Tant d'honneurs, dont l'excès a surpris le sénat,
Vous laissent-ils encor craindre le nom d'ingrat*?
Sur cent peuples nouveaux Bérénice commande.

TITUS

Faibles amusements[1] d'une douleur si grande!
Je connais Bérénice et ne sais que trop bien
Que son cœur n'a jamais demandé que le mien.
Je l'aimai; je lui plus. Depuis cette journée
(Dois-je dire funeste*, hélas! ou fortunée?),
Sans avoir, en aimant, d'objet que[2] son amour,
Étrangère dans Rome, inconnue à la cour,
Elle passe ses jours, Paulin, sans rien prétendre[3]
Que quelque heure à me voir et le reste à m'attendre.
Encor, si quelquefois un peu moins assidu
Je passe[4] le moment où je suis attendu,
Je la revois bientôt de pleurs toute trempée :
Ma main à les sécher est longtemps occupée.
Enfin tout ce qu'amour a de nœuds plus puissants[5],
Doux reproches, transports* sans cesse renaissants,
Soin de plaire sans art[6], crainte toujours nouvelle,
Beauté, gloire*, vertu, je trouve tout en elle.
Depuis cinq ans entiers chaque jour je la vois,
Et crois toujours la voir pour la première fois.
N'y songeons plus. Allons, cher Paulin : plus j'y pense,
Plus je sens chanceler ma cruelle* constance[7].
Quelle nouvelle, ô ciel! je lui vais annoncer!
Encore un coup, allons, il n'y faut plus penser.

---

1. *Amusements :* moyens de diversion; 2. Autre que...; 3. *Prétendre :* revendiquer; 4. *Passer :* laisser passer; 5. Tous les liens les plus puissants que l'amour possède; 6. *Art :* artifice; 7. *Constance :* énergie.

QUESTIONS

● VERS 523-527. Contre quel sentiment Paulin veut-il défendre son maître (vers 519)? A-t-il cette fois des chances de le convaincre?

● VERS 528-546. Comparez le début de cette tirade à celui de la tirade précédente (vers 499) : quelle réaction produit encore l'intervention de Paulin? — Comparez le vers 531 au vers 194 : quelle est, pour Titus comme pour Antiochus, la nature de la passion qui lie les deux amants? — Les éléments lyriques de ce couplet : n'y a-t-il pas chez Titus une certaine complaisance à évoquer un passé dont il ne peut se séparer sans déchirement?

Je connais mon devoir, c'est à moi de le suivre :
Je n'examine point si j'y pourrai survivre.

SCÈNE III. — TITUS, PAULIN, RUTILE.

RUTILE

Bérénice, Seigneur, demande à vous parler.

TITUS

Ah! Paulin!

PAULIN

Quoi! déjà vous semblez reculer?
De vos nobles projets, Seigneur, qu'il vous souvienne :
Voici le temps.

TITUS

Hé bien, voyons-la. Qu'elle vienne.

QUESTIONS

● VERS 547-552. Comparez ces vers aux vers 483 et suivants : peut-on faire confiance à l'énergie de Titus?

■ SUR L'ENSEMBLE DE LA SCÈNE II. — Composition de la scène. Montrez qu'elle est plutôt un monologue de Titus qu'un dialogue avec son confident : Paulin influence-t-il le choix de l'Empereur? Peut-il le convaincre que ce choix est juste?

— Le personnage de Titus : comment Racine « actualise »-t-il l'empereur romain? Pourquoi Titus, devenu empereur, prend-il brusquement conscience des impérieuses nécessités de la raison d'État? Pourrait-il envisager une autre solution (soit abdiquer, soit imposer sa volonté au sénat)? Pourquoi veut-il être maître de son choix?

— Le spectateur avait-il soupçonné au premier acte les motifs qui détermineraient Titus à agrandir les États de Bérénice et à se montrer distant à l'égard de la reine? Qu'en conclure sur la façon dont Racine développe ici l'action?

■ SUR LA SCÈNE III. — Le mécanisme dramatique : avec qui Titus voulait-il s'entretenir d'abord (v. vers 327)? Est-ce un coup de théâtre, du moins pour le spectateur (v. vers 323-324)?

SCÈNE IV. — BÉRÉNICE, TITUS, PAULIN, PHÉNICE.

BÉRÉNICE

Ne vous offensez pas si mon zèle indiscret[1]
De votre solitude interrompt le secret.
Tandis qu'autour de moi votre cour assemblée
Retentit des bienfaits dont vous m'avez comblée,
Est-il juste, Seigneur, que seule en ce moment
Je demeure sans voix et sans ressentiment[2]!
Mais, Seigneur (car je sais que cet ami sincère
Du secret de nos cœurs connaît tout le mystère),
Votre deuil est fini, rien n'arrête vos pas,
Vous êtes seul enfin, et ne me cherchez pas!
J'entends[3] que vous m'offrez un nouveau diadème,
Et ne puis cependant vous entendre vous-même.
Hélas! plus de repos, Seigneur, et moins d'éclat.
Votre amour ne peut-il paraître qu'au sénat?
Ah! Titus, car enfin l'amour fuit la contrainte
De tous ces noms[4] que suit[5] le respect et la crainte,
De quel soin* votre amour va-t-il s'importuner?
N'a-t-il que des États qu'il me puisse donner?
Depuis quand croyez-vous que ma grandeur me touche?
Un soupir, un regard, un mot de votre bouche,
Voilà l'ambition d'un cœur comme le mien.
Voyez-moi plus souvent, et ne me donnez rien.
Tous vos moments sont-ils dévoués à l'empire?
Ce cœur, après huit jours[6], n'a-t-il rien à me dire?
Qu'un mot va rassurer mes timides[7] esprits!
Mais parliez-vous de moi quand je vous ai surpris?
Dans vos secrets discours étais-je intéressée[8],
Seigneur? Étais-je au moins présente à la pensée?

---

1. *Indiscret :* qui manque de discernement; **2.** *Ressentiment :* tout sentiment qui répond à un témoignage d'amitié ou de haine; ici, sentiment de reconnaissance. En français moderne, c'est toujours un sentiment de vengeance qui répond à un outrage reçu; **3.** J'entends dire; **4.** De tous ces titres... Elle ne l'appelle plus « Seigneur »; **5.** Accord avec un seul sujet; **6.** La semaine de deuil officiel après la mort de Vespasien (voir vers 301 et suivants); **7.** *Timide :* porté à la crainte; **8.** Ai-je une part dans les propos que vous vous tenez au fond de vous-même?

TITUS

N'en doutez point, Madame; et j'atteste les dieux
Que toujours Bérénice est présente à mes yeux.
L'absence ni le temps, je vous le jure encore,
Ne vous peuvent ravir ce cœur qui vous adore.

BÉRÉNICE

Hé quoi! vous me jurez une éternelle ardeur,
Et vous me la jurez avec cette froideur?
Pourquoi même du ciel[1] attester la puissance?
Faut-il par des serments vaincre ma défiance?
Mon cœur ne prétend point, Seigneur, vous démentir,
Et je vous en croirai sur un simple soupir.

TITUS

Madame...

BÉRÉNICE

Hé bien, Seigneur? Mais quoi! sans me répondre
Vous détournez les yeux, et semblez vous confondre[2].
Ne m'offrirez-vous plus qu'un visage interdit?
Toujours la mort d'un père occupe votre esprit?
Rien ne peut-il charmer* l'ennui* qui vous dévore?

TITUS

Plût au ciel que mon père, hélas! vécût encore!
Que je vivais heureux!

BÉRÉNICE

Seigneur, tous ces regrets
De votre piété sont de justes effets.
Mais vos pleurs ont assez honoré sa mémoire :
Vous devez d'autres soins* à Rome, à votre gloire*.

---

1. *Var.* (éd. 1671) : *Pourquoi des Immortels.* Voir variante des vers 145-146 ;
2. Etre confondu, interdit.

QUESTIONS

● VERS 557-584. Comment s'exprime l'ironie de Bérénice (mouvement des phrases, mots employés)? La tendresse s'y mêle-t-elle suffisamment pour que ces reproches ne soient pas blessants? D'après ce qu'on sait des sentiments de Bérénice à la fin de l'acte premier, est-il naturel qu'elle emploie ce ton de persiflage plutôt que de se plaindre ou de se mettre en colère? — Que pensent Titus — et le spectateur — en entendant le vers 570? Quelle inquiétude exprime le vers 578?

De mon propre intérêt je n'ose vous parler.
Bérénice autrefois pouvait vous consoler :
Avec plus de plaisir vous m'avez écoutée.
De combien de malheurs pour vous persécutée[1],
Vous ai-je pour un mot sacrifié mes pleurs[2]!
Vous regrettez un père : hélas! faibles douleurs!
Et moi (ce souvenir me fait frémir encore)
On voulait m'arracher de tout ce que j'adore;
Moi, dont vous connaissez le trouble* et le tourment*
Quand vous ne me quittez que pour quelque moment;
Moi, qui mourrais le jour qu'on voudrait m'interdire
De vous...

TITUS

Madame, hélas! que me venez-vous dire?
Quel temps choisissez-vous? Ah! de grâce, arrêtez;
C'est trop pour un ingrat* prodiguer vos bontés.

BÉRÉNICE

Pour un ingrat*, Seigneur! Et le pouvez-vous être?
Ainsi donc mes bontés vous fatiguent peut-être?

TITUS

Non, Madame; jamais, puisqu'il faut vous parler,
Mon cœur de plus de feux[3] ne se sentit brûler.
Mais...

BÉRÉNICE

Achevez...

TITUS

Hélas!

BÉRÉNICE

Parlez.

---

1. Bérénice a sans doute été critiquée par ses sujets, sans recevoir en échange la sympathie des Romains; 2. J'ai fait le sacrifice de ne plus pleurer sur un mot de vous, qui me le demandiez; 3. *Feux* (terme traditionnel de la langue galante et précieuse) : ardeur amoureuse.

QUESTIONS

● Vers 585-616. Titus dit-il la vérité aux vers 585-589 et 600-601? Peut-on affirmer cependant qu'il soit sincère en laissant se créer une équivoque? — L'évolution des sentiments de Bérénice : pourquoi se hâte-t-elle d'interpréter les paroles de Titus au lieu de le laisser parler?

TITUS

Rome... L'Empire...

BÉRÉNICE

Hé bien?

TITUS

Sortons, Paulin : je ne lui puis rien dire.

SCÈNE V. — BÉRÉNICE, PHÉNICE.

BÉRÉNICE

Quoi! me quitter sitôt, et ne me dire rien?
Chère Phénice, hélas! quel funeste* entretien!
Qu'ai-je fait? Que veut-il? Et que dit[1] ce silence?

PHÉNICE

Comme vous je me perds[2] d'autant plus que j'y pense.
Mais ne s'offre-t-il rien à votre souvenir
Qui contre vous, Madame, ait pu le prévenir[3]?
Voyez, examinez.

BÉRÉNICE

Hélas! tu peux m'en croire,
Plus je veux du passé rappeler la mémoire,
Du jour que je le vis jusqu'à ce triste* jour,
Plus je vois qu'on me peut reprocher trop d'amour.
Mais tu nous entendais. Il ne faut rien me taire :
Parle. N'ai-je rien dit qui lui puisse déplaire?
Que sais-je? J'ai peut-être avec trop de chaleur

---

1. Que veut dire... ; 2. Je m'y perds ; 3. *Prévenir* : influencer par avance.

QUESTIONS

● VERS 617-624. Pourquoi Titus peut-il moins encore répondre à la tendresse passionnée de Bérénice qu'à son ironie? — Le « réalisme » de cette fin de scène.

■ SUR L'ENSEMBLE DE LA SCÈNE IV. — Rapprochez cette scène des vers 473-482 : Titus s'était-il bien dépeint lui-même? Comparez son attitude aux décisions qui ont été prises dans la scène précédente.
— Le mouvement de la scène : qui mène le jeu? Comment Bérénice contribue-t-elle sans le vouloir à aggraver le malentendu qui la sépare de Titus? D'où naît le tragique?

Rabaissé ses présents ou blâmé sa douleur.
N'est-ce point que de Rome il redoute la haine?
Il craint peut-être, il craint d'épouser une reine.
Hélas! s'il était vrai... Mais non, il a cent fois
Rassuré mon amour contre leurs[1] dures lois;
Cent fois... Ah! qu'il m'explique un silence si rude[2].
Je ne respire pas dans cette incertitude.
Moi, je vivrais, Phénice, et je pourrais penser
Qu'il me néglige, ou bien que j'ai pu l'offenser?
Retournons sur ses pas. Mais quand je m'examine,
Je crois de ce désordre*[3] entrevoir l'origine,
Phénice : il aura su tout ce qui s'est passé;
L'amour d'Antiochus l'a peut-être offensé.
Il attend, m'a-t-on dit, le roi de Comagène;
Ne cherchons point ailleurs le sujet de ma peine.
Sans doute ce chagrin[4] qui vient de m'alarmer
N'est qu'un léger soupçon facile à désarmer.
Je ne te vante point cette faible victoire[5],
Titus. Ah! plût au ciel que, sans blesser ta gloire*,
Un rival plus puissant voulût tenter ma foi[6]
Et pût mettre à mes pieds plus d'empires que toi;
Que de sceptres sans nombre il pût payer ma flamme;
Que ton amour n'eût rien à donner que ton âme!
C'est alors, cher Titus, qu'aimé, victorieux[7],
Tu verrais de quel prix ton cœur est à mes yeux.
Allons, Phénice, un mot pourra le satisfaire.
Rassurons-nous, mon cœur, je puis encor lui plaire.
Je me comptais trop tôt au rang des malheureux!
Si Titus est jaloux, Titus est amoureux.

---

1. Des Romains (idée contenue dans *Rome*, vers 639); 2. *Rude* : cruel; 3. Le trouble que Titus a révélé par son silence (voir vers 624); 4. *Chagrin* : mécontentement (celui que semble éprouver Titus); 5. Celle que Bérénice a fait remporter à Titus, en repoussant l'amour d'Antiochus; 6. Mettre à l'épreuve ma fidélité; 7. A opposer à la *faible victoire* du vers 655.

QUESTIONS

■ SUR LA SCÈNE V. — Analysez la tirade de Bérénice. Pourquoi, après avoir entrevu la vérité, la rejette-t-elle pour se créer une illusion? D'où vient ce manque de clairvoyance? Le ton du dernier vers (vers 666) : son ironie tragique.

— Quel trait de caractère domine chez Bérénice, à la fin de cet acte comme à la fin du premier?

ACTE III

SCÈNE PREMIÈRE. — TITUS, ANTIOCHUS, ARSACE.

TITUS

Quoi, Prince? vous partiez? Quelle raison subite
Presse votre départ, ou plutôt votre fuite?
Vouliez-vous me cacher jusques à vos adieux?
Est-ce comme ennemi que vous quittez ces lieux?
Que diront, avec moi, la cour, Rome, l'empire?
Mais, comme votre ami, que ne puis-je point dire?
De quoi m'accusez-vous? Vous avais-je sans choix
Confondu jusqu'ici dans la foule des rois?
Mon cœur vous fut ouvert tant qu'a vécu mon père :
C'était le seul présent que je pouvais vous faire;
Et lorsque avec mon cœur ma main peut s'épancher[1],
Vous fuyez mes bienfaits tout prêts à vous chercher?
Pensez-vous, qu'oubliant ma fortune* passée,
Sur ma seule grandeur j'arrête ma pensée,
Et que tous mes amis s'y présentent de loin

1. *S'épancher* : s'ouvrir pour laisser couler des bienfaits.

QUESTIONS

■ Sur l'ensemble de l'acte II. — Le mouvement de cet acte : pourquoi les décisions de Titus n'aboutissent-elles pas? A quelle situation revient-on à la fin de l'acte? Comparez la structure des deux premiers actes : parallélisme des scènes Antiochus-Bérénice et des scènes Titus-Bérénice.

— Le caractère de Titus : ne faut-il voir en lui que faiblesse et indécision? Comment est-il responsable du malentendu qui va se prolonger jusqu'à la fin de la tragédie?

— Le caractère de Bérénice : y découvre-t-on des traits nouveaux par rapport au premier acte?

— L'absence d'Antiochus au cours de cet acte donne-t-elle la certitude qu'il a mis à exécution son projet de départ? L'action peut-elle se poursuivre sans lui?

Comme autant d'inconnus dont je n'ai plus besoin?
Vous-même, à mes regards qui vouliez vous soustraire,
Prince, plus que jamais vous m'êtes nécessaire.

ANTIOCHUS

Moi, Seigneur?

TITUS

Vous.

ANTIOCHUS

Hélas! d'un prince malheureux
Que pouvez-vous, Seigneur, attendre que[1] des vœux?

TITUS

Je n'ai pas oublié, prince, que ma victoire
Devait à vos exploits la moitié de sa gloire*[2],
Que Rome vit passer au nombre des vaincus
Plus d'un captif chargé des fers d'Antiochus;
Que dans le Capitole elle voit attachées
Les dépouilles des Juifs[3] par vos mains arrachées.
Je n'attends pas de vous de ces sanglants exploits,
Et je veux seulement emprunter votre voix.
Je sais que Bérénice, à vos soins* redevable,
Croit posséder en vous un ami véritable :
Elle ne voit dans Rome et n'écoute que vous;
Vous ne faites qu'un cœur et qu'une âme avec nous.
Au nom d'une amitié si constante et si belle,
Employez le pouvoir que vous avez sur elle :
Voyez-la de ma part.

ANTIOCHUS

Moi, paraître à ses yeux?
La reine pour jamais a reçu mes adieux.

TITUS

Prince, il faut que pour moi vous lui parliez encore.

1. *Attendre* [d'autre] *que...;* 2. Voir vers 100-115; 3. Allusion aux cérémonies du triomphe, qui a suivi la victoire de Titus sur les Juifs; les prisonniers suivaient le cortège, et les trophées de la victoire étaient suspendus au Capitole.

QUESTIONS

● VERS 667-685. Comparez ce début de scène au début de la scène IV de l'acte premier : l'amitié chez Titus prend-elle le même ton que chez Bérénice? En quoi, cependant, la situation d'Antiochus est-elle ici différente? — Est-ce une surprise pour le spectateur que le vers 684? Quel est alors l'intérêt dramatique?

JULIA BARTET (1854-1941), qui fut, à la fin du XIXᵉ siècle, une remarquable interprète de Bérénice à la Comédie-Française. Son costume avait été dessiné par le peintre Gustave Moreau (1826-1898).

Bibliothèque de l'Arsenal. — Fonds Rondel.

ANTIOCHUS

Ah! parlez-lui, Seigneur. La reine vous adore.
Pourquoi vous dérober vous-même en ce moment
Le plaisir de lui faire un aveu si charmant*?
Elle l'attend, Seigneur, avec impatience.
Je réponds, en partant, de son obéissance;
Et même elle m'a dit que, prêt à l'épouser,
Vous ne la verrez plus que pour l'y disposer.

TITUS

Ah! qu'un aveu si doux aurait lieu de me plaire!
Que je serais heureux si j'avais à le faire!
Mes transports* aujourd'hui s'attendaient d'éclater[1],
Cependant aujourd'hui, Prince, il faut la quitter.

ANTIOCHUS

La quitter! Vous, Seigneur?

TITUS

Telle est ma destinée,
Pour elle et pour Titus il n'est plus d'hyménée.
D'un espoir si charmant* je me flattais en vain :
Prince il faut avec vous qu'elle parte demain.

ANTIOCHUS

Qu'entends-je? O ciel!

TITUS

Plaignez ma grandeur importune.

---

1. Etaient sur le point de se manifester au grand jour.

QUESTIONS

● VERS 685-710. Franchise et duplicité chez les personnages raciniens : Titus est-il sincère dans l'expression de son amitié? N'est-il pas étonnant toutefois qu'il revienne au projet prévu aux vers 485-488 comme si l'entrevue avec Bérénice (II, IV) n'avait pas eu lieu? — Quel malentendu se produit aux vers 704-710? Pourquoi Antiochus ne dit-il pas la vraie raison de son refus?

● VERS 711-719. Comparez le ton de Titus à celui des vers 445-446. Quel est son état d'âme lorsqu'il prononce les mots décisifs qui consacrent sa séparation d'avec Bérénice? — La réaction d'Antiochus : quels peuvent être ses sentiments?

Maître de l'univers, je règle sa fortune*;
Je puis faire les rois, je puis les déposer;
Cependant de mon cœur je ne puis disposer;
Rome, contre les rois de tout temps soulevée,
Dédaigne une beauté dans la pourpre[1] élevée :
L'éclat du diadème et cent rois pour aïeux
Déshonorent ma flamme et blessent tous les yeux.
Mon cœur, libre d'ailleurs[2], sans craindre les murmures[3],
Peut brûler à son choix dans des flammes obscures[4];
Et Rome avec plaisir recevrait[5] de ma main
La moins digne beauté qu'elle cache en son sein.
Jules[6] céda lui-même au torrent qui m'entraîne.
Si le peuple demain ne voit partir la reine,
Demain elle entendra ce peuple furieux
Me venir demander son départ à ses[7] yeux.
Sauvons de cet affront mon nom et sa mémoire;
Et, puisqu'il faut céder, cédons à notre gloire*.
Ma bouche et mes regards, muets depuis huit jours[8],
L'auront pu préparer à ce triste* discours :
Et même en ce moment, inquiète, empressée,
Elle veut qu'à ses yeux j'explique ma pensée.
D'un amant interdit soulagez le tourment* :
Épargnez à mon cœur cet éclaircissement.
Allez, expliquez-lui mon trouble* et mon silence;
Surtout, qu'elle me laisse éviter sa présence :
Soyez le seul témoin de ses pleurs et des miens;
Portez-lui mes adieux, et recevez les siens.
Fuyons tous deux, fuyons un spectacle funeste*
Qui de notre constance accablerait le reste[9].
Si l'espoir de régner et de vivre en mon cœur
Peut de son infortune adoucir la rigueur,
Ah! Prince! jurez-lui que, toujours trop fidèle,
Gémissant dans ma cour, et plus exilé qu'elle,
Portant jusqu'au tombeau le nom de son amant,
Mon règne ne sera qu'un long bannissement,

---

1. Symbole de la dignité royale (voir la note du vers 386); 2. *D'ailleurs :* par ailleurs, pour tout autre choix; 3. *Murmures :* protestations violentes (sens fort); 4. Des amours pour des femmes de condition modeste; 5. *Recevoir :* accueillir; 6. Voir vers 387 et suivants; 7. Le possessif crée une légère équivoque; on peut comprendre : sous ses propres yeux (ceux du peuple, qui veut « voir » le départ de Bérénice et en avoir ainsi la certitude) ou bien sous les yeux de Bérénice (qui non seulement « entendra », mais « verra » la fureur du peuple). Le second sens paraît plus acceptable; 8. Voir le vers 580; 9. *Le reste :* ce qui nous reste de fermeté.

Si le ciel, non content de me l'avoir ravie,
Veut encor m'affliger par une longue vie[1].
Vous, que l'amitié seule attache sur ses pas,
Prince, dans son malheur ne l'abandonnez pas :
Que l'Orient vous voie arriver à sa suite;
Que ce soit un triomphe, et non pas une fuite;
Qu'une amitié si belle ait d'éternels liens;
Que mon nom soit toujours dans tous vos entretiens.
Pour rendre vos États plus voisins l'un de l'autre,
L'Euphrate bornera son empire et le vôtre.
Je sais que le sénat, tout plein de votre nom,
D'une commune voix confirmera ce don.
Je joins la Cilicie[2] à votre Comagène.
Adieu. Ne quittez point ma princesse, ma reine,
Tout ce qui de mon cœur fut l'unique désir,
Tout ce que j'aimerai jusqu'au dernier soupir.

---

1. Utilisation habile et émouvante de la vérité historique : Titus ne régna que vingt-sept mois et mourut en 81, âgé de quarante et un ans; **2.** *La Cilicie :* province romaine située au sud-est de l'Asie mineure; elle est à l'ouest de la Comagène et au nord-ouest de la Syrie. Puisque Titus a l'intention de donner la Syrie à Bérénice (voir vers 172 et suivants), la frontière commune aux royaumes de Bérénice et d'Antiochus se trouvera entre la Cilicie et la Syrie. Quant à l'Euphrate, il marque en réalité la frontière commune des deux royaumes avec les Parthes (voir la carte, page 31).

QUESTIONS

● Vers 719-770. La composition de cette tirade. — Les vers 720-736, qui reprennent les propos de Paulin (vers 371-419), font-ils double emploi avec ceux-ci? Titus n'assombrit-il pas le tableau des malheurs politiques qui menacent Bérénice? Commentez le vers 736. — Les motifs sentimentaux qui déterminent Titus à éviter une entrevue avec Bérénice (vers 737-748); quel trait de caractère est confirmé par les vers 747-748? — L'effusion romanesque (749-770) : comment Titus voit-il l'avenir? — Pourquoi sort-il sans attendre la réponse d'Antiochus? Est-ce parce qu'il a la certitude qu'Antiochus va lui obéir?

■ Sur l'ensemble de la scène première. — Pourquoi Titus, malgré l'émotion que lui a causée l'entrevue avec Bérénice (II, iv), n'a-t-il pas modifié le plan prévu dès la scène ii de l'acte II?

— L'attitude de Titus à l'égard d'Antiochus : comment mêle-t-il la chaleur de l'amitié à l'autorité du pouvoir pour convaincre Antiochus? Cache-t-il complètement son émotion? Perd-il sa dignité d'empereur en face de son ami?

— Le tragique de cette scène : si sympathiques et si loyaux que soient les deux personnages, quelle ambiguïté gênante y a-t-il dans leur attitude?

— Le progrès de l'action : montrez que pour la première fois depuis le début de la tragédie il y a un changement dans la situation des trois personnages.

Scène II. — ANTIOCHUS, ARSACE.

ARSACE

Ainsi le ciel s'apprête à vous rendre justice :
Vous partirez, Seigneur, mais avec Bérénice.
Loin de vous la ravir, on va vous la livrer.

ANTIOCHUS

Arsace, laisse-moi le temps de respirer.
Ce changement est grand, ma surprise est extrême :
Titus entre mes mains remet tout ce qu'il aime!
Dois-je croire, grands dieux! ce que je viens d'ouïr?
Et quand je le croirais, dois-je m'en réjouir?

ARSACE

Mais, moi-même, Seigneur, que faut-il que je croie?
Quel obstacle nouveau s'oppose à votre joie?
Me trompiez-vous tantôt au sortir de ces lieux,
Lorsque encor tout ému de vos derniers adieux,
Tremblant d'avoir osé s'expliquer devant elle,
Votre cœur me contait son audace nouvelle[1]?
Vous fuyiez un hymen qui vous faisait trembler.
Cet hymen est rompu : quel soin* peut vous troubler?
Suivez les doux transports* où l'amour vous invite.

ANTIOCHUS

Arsace, je me vois chargé de sa conduite[2];
Je jouirai longtemps de ses chers entretiens :
Ses yeux mêmes pourront s'accoutumer aux miens;
Et peut-être son cœur fera la différence
Des froideurs de Titus à ma persévérance.
Titus m'accable ici du poids de sa grandeur :
Tout disparaît dans Rome auprès de sa splendeur;
Mais, quoique l'Orient soit plein de sa mémoire,
Bérénice y verra des traces de ma gloire*.

---

1. Après le silence de cinq ans; 2. De la reconduire en Orient.

ARSACE

N'en doutez point, Seigneur, tout succède à[1] vos vœux.

ANTIOCHUS

Ah! que nous nous plaisons à nous tromper tous deux!

ARSACE

Et pourquoi nous tromper[2]?

ANTIOCHUS

Quoi! je lui pourrais plaire?
Bérénice à mes vœux ne serait plus contraire?
Bérénice d'un mot flatterait[3] mes douleurs?
Penses-tu seulement que, parmi ses malheurs,
Quand l'univers entier négligerait ses charmes*,
L'ingrate* me permît de lui donner des larmes,
Ou qu'elle s'abaissât jusques à recevoir[4]
Des soins* qu'à mon amour elle croirait devoir?

ARSACE

Et qui peut mieux que vous consoler sa disgrâce[5]?
Sa fortune*, Seigneur, va prendre une autre face :
Titus la quitte.

ANTIOCHUS

Hélas! de ce grand changement
Il ne me reviendra que le nouveau tourment*
D'apprendre par ses pleurs à quel point elle l'aime :
Je la verrai gémir; je la plaindrai moi-même.
Pour fruit de tant d'amour, j'aurai le triste* emploi
De recueillir des pleurs qui ne sont pas pour moi.

ARSACE

Quoi? ne vous plairez-vous qu'à vous gêner[6] sans cesse?
Jamais dans un grand cœur vit-on plus de faiblesse?

1. *Succéder à :* donner du succès à, favoriser; 2. Pourquoi dites-vous que nous nous trompons? 3. *Flatter :* adoucir par un espoir trompeur; 4. *Recevoir :* accepter; 5. *Disgrâce :* malheur; 6. *Gêner :* tourmenter.

QUESTIONS

● VERS 771-797. Le rôle d'Arsace : à quel niveau se place communément la réaction des confidents? Le dénouement qu'il prévoit est-il possible? — Antiochus se laisse-t-il entraîner par la logique simpliste d'Arsace? Est-il enclin à un enthousiasme irréfléchi?

● VERS 798-814. La lucidité d'Antiochus : a-t-il raison de revenir sur sa première illusion? Pourquoi peut-il si bien deviner ce que seraient les sentiments de Bérénice éloignée de Titus?

Ouvrez les yeux, Seigneur, et songeons entre nous
Par combien de raisons Bérénice est à vous.
Puisque aujourd'hui Titus ne prétend plus lui plaire,
Songez que votre hymen lui devient nécessaire.

ANTIOCHUS

Nécessaire!

ARSACE

A ses pleurs accordez quelques jours;
De ses premiers sanglots laissez passer le cours :
Tout parlera pour vous, le dépit, la vengeance,
L'absence de Titus, le temps, votre présence,
Trois sceptres[1] que son bras ne peut seul soutenir,
Vos deux États voisins[2] qui cherchent à s'unir.
L'intérêt, la raison, l'amitié, tout vous lie.

ANTIOCHUS

Oui, je respire, Arsace, et tu me rends la vie :
J'accepte avec plaisir un présage si doux.
Que[3] tardons-nous? Faisons ce qu'on attend de nous.
Entrons chez Bérénice; et, puisqu'on nous l'ordonne,
Allons lui déclarer que Titus l'abandonne.
Mais plutôt demeurons. Que faisais-je? Est-ce à moi,
Arsace, à me charger de ce cruel* emploi?
Soit vertu,* soit amour, mon cœur s'en effarouche.
L'aimable Bérénice entendrait de ma bouche
Qu'on l'abandonne! Ah! Reine, et qui l'aurait pensé,
Que ce mot dût jamais vous être prononcé!

ARSACE

La haine sur Titus tombera tout entière.
Seigneur, si vous parlez, ce n'est qu'à sa prière.

ANTIOCHUS

Non, ne la voyons point; respectons sa douleur :
Assez d'autres viendront lui conter son malheur.
Et ne la crois-tu pas assez infortunée
D'apprendre à quel mépris Titus l'a condamnée,
Sans lui donner encor le déplaisir fatal*
D'apprendre ce mépris par son propre rival?

---

1. Voir vers 172; 2. Voir vers 767 et la note; 3. Pourquoi.

Encore un coup, fuyons; et par cette nouvelle
N'allons point nous charger d'une haine immortelle.

ARSACE

Ah! la voici, Seigneur; prenez votre parti.

ANTIOCHUS

O ciel!

Scène III. — BÉRÉNICE, ANTIOCHUS, ARSACE, PHÉNICE.

BÉRÉNICE

Hé quoi! Seigneur! vous n'êtes point parti?

ANTIOCHUS

Madame, je vois bien que vous êtes déçue,
Et que c'était César que cherchait votre vue.
Mais n'accusez que lui, si, malgré mes adieux,
De ma présence encor j'importune vos yeux.

QUESTIONS

● Vers 815-848. Importance du mot *nécessaire* (vers 820-821), qu'avait déjà prononcé Titus au vers 684 : sur quel plan ramène-t-il Antiochus pendant quelques instants? En fin de compte, le « réalisme » d'Arsace aide-t-il Antiochus à trouver une solution pratique? Le désarroi de celui-ci : à quelle décision se raccroche-t-il (vers 847)? — En parlant de *fuir*, Antiochus a-t-il conscience de sa faiblesse de caractère (voir le vers 668 et comparer au vers 747 prononcé par Titus)?

● Vers 849-850. Comparez cette situation à celle de la scène iii de l'acte II. — Pourquoi faut-il que Racine provoque le retour de Bérénice sur le théâtre? La reine a-t-elle un motif vraisemblable de revenir ici (v. vers 662-663)?

■ Sur l'ensemble de la scène ii. — Les fluctuations d'Antiochus : par quels sentiments passe-t-il successivement? A quelle décision s'arrête-t-il? Comparez son caractère à celui de Titus, tel que nous le connaissons déjà : ont-ils tous deux la même faiblesse de caractère? Lequel est le plus lucide?

— L'action progresse-t-elle selon le plan prévu par Titus?

— Comparez la situation et l'état d'esprit d'Antiochus à ceux d'Oreste, lorsqu'il espère obtenir le consentement d'Hermione (*Andromaque*, II, iii).

● Vers 850. Quel sentiment se révèle dans cette réflexion, si spontanée, de Bérénice? Peut-on déjà deviner l'effet d'une telle question sur Antiochus? — Comparez ce début de scène à celui de la première scène de l'acte III.

Peut-être en ce moment je serais dans Ostie[1],
S'il ne m'eût de sa cour défendu la sortie.

BÉRÉNICE

Il vous cherche vous seul. Il nous évite tous.

ANTIOCHUS

Il ne m'a retenu que pour parler de vous.

BÉRÉNICE

De moi, Prince?

ANTIOCHUS

Oui, Madame.

BÉRÉNICE

Et qu'a-t-il pu vous dire?

ANTIOCHUS

Mille autres mieux que moi pourront vous en instruire.

BÉRÉNICE

Quoi! Seigneur...

ANTIOCHUS

Suspendez votre ressentiment.
D'autres, loin de se taire en ce même moment,
Triompheraient peut-être, et, pleins de confiance,
Céderaient avec joie à votre impatience;
Mais moi, toujours tremblant, moi, vous le savez bien,
A qui votre repos est plus cher que le mien,
Pour ne le point troubler*, j'aime mieux vous déplaire,
Et crains votre douleur plus que votre colère.
Avant la fin du jour vous me justifierez[2].
Adieu, Madame.

1. Voir vers 72; 2. *Justifier* : rendre justice.

QUESTIONS

● VERS 851-860. La première attitude d'Antiochus : comment se justifie son dépit? Quelle tentation secrète d'une revanche sur Bérénice le pousse ici?

● VERS 861-870. La deuxième attitude d'Antiochus : est-ce vraiment la tendresse qui vient tempérer les effets du dépit? Comment Antiochus peut-il ici justifier cette « fuite » à laquelle il croit être résolu?

BÉRÉNICE

O ciel! quel discours! Demeurez,
Prince, c'est trop cacher mon trouble* à votre vue :
Vous voyez devant vous une reine éperdue,
Qui, la mort dans le sein, vous demande deux mots.
Vous craignez, dites-vous, de troubler mon repos;
Et vos refus cruels*, loin d'épargner ma peine,
Excitent ma douleur, ma colère, ma haine.
Seigneur, si mon repos vous est si précieux,
Si moi-même jamais je fus chère à vos yeux,
Éclaircissez le trouble* où vous voyez mon âme.
Que vous a dit Titus?

ANTIOCHUS

Au nom des dieux, Madame...

BÉRÉNICE

Quoi! vous craignez si peu de me désobéir?

ANTIOCHUS

Je n'ai qu'à vous parler pour me faire haïr.

BÉRÉNICE

Je veux que vous parliez.

ANTIOCHUS

Dieux! quelle violence!
Madame, encore un coup, vous louerez mon silence.

BÉRÉNICE

Prince, dès ce moment contentez mes souhaits,
Ou soyez de ma haine assuré pour jamais.

ANTIOCHUS

Madame, après cela, je ne puis plus me taire.
Hé bien, vous le voulez, il faut vous satisfaire.
Mais ne vous flattez[1] point : je vais vous annoncer

1. *Ne vous flattez point :* ne vous faites pas d'illusions.

QUESTIONS

● VERS 871-886. L'attitude de Bérénice depuis le début de la scène : Antiochus a-t-il réussi à l'inquiéter? Que révèle du caractère de Bérénice le passage des prières aux exigences et aux menaces?

Peut-être des malheurs où[1] vous n'osez penser.
Je connais votre cœur : vous devez vous attendre
Que je le vais frapper par l'endroit le plus tendre.
Titus m'a commandé...

BÉRÉNICE

Quoi?

ANTIOCHUS

De vous déclarer
Qu'à jamais l'un de l'autre il faut vous séparer.

BÉRÉNICE

Nous séparer? Qui? Moi? Titus de Bérénice!

ANTIOCHUS

Il faut que devant vous je lui rende justice :
Tout ce que, dans un cœur sensible et généreux[2]*,
L'amour au désespoir peut rassembler d'affreux,
Je l'ai vu dans le sien. Il pleure, il vous adore.
Mais enfin que lui sert de vous aimer encore?
Une reine est suspecte à l'empire romain.
Il faut vous séparer, et vous partez demain.

BÉRÉNICE

Nous séparer! Hélas! Phénice!

PHÉNICE

Hé bien, Madame,
Il faut ici montrer la grandeur de votre âme.
Ce coup sans doute est rude : il doit vous étonner[3].

BÉRÉNICE

Après tant de serments, Titus m'abandonner!
Titus qui me jurait... Non, je ne le puis croire :

1. Auxquels; 2. *Généreux :* plein de noblesse; 3. *Etonner :* frapper de stupeur.

QUESTIONS

● VERS 887-894. Comment Antiochus est-il ramené à la solution qu'il avait pourtant écartée? — Importance du vers 888 : Antiochus prend-il toute la responsabilité de son acte? Comparez le vers 894 aux vers 446 et 714 : quel effet produit chaque fois la nouvelle en passant d'un personnage à l'autre?

Il ne me quitte point, il y va de sa gloire*.
Contre son innocence on veut me prévenir[1].
Ce piège n'est tendu que pour nous désunir.
Titus m'aime. Titus ne veut point que je meure.
Allons le voir : je veux lui parler tout à l'heure[2].
Allons.

ANTIOCHUS

Quoi? vous pourriez ici me regarder...

BÉRÉNICE

Vous le souhaitez trop pour me persuader.
Non, je ne vous crois point. Mais, quoi qu'il en puisse être,
Pour jamais à mes yeux gardez-vous de paraître.
(A Phénice.)
Ne m'abandonne pas dans l'état où je suis.
Hélas! pour me tromper je fais ce que je puis.

SCÈNE IV. — ANTIOCHUS, ARSACE.

ANTIOCHUS

Ne me trompé-je point? L'ai-je bien entendue?
Que je me garde, moi, de paraître à sa vue!

---

1. *Prévenir* : donner à l'avance une opinion fausse; 2. *Tout à l'heure* : tout de suite.

QUESTIONS

● VERS 895-918. Tendresse, amitié et maladresse chez Antiochus (vers 896-902). — Le déchaînement aveugle de la douleur chez Bérénice : comment le langage de la tragédie traduit-il le bouleversement de la reine? Rapprochez le vers 908 du vers 736 : où est ici l'ironie tragique? — Pourquoi la douleur de Bérénice se tourne-t-elle en haine contre Antiochus?

■ SUR L'ENSEMBLE DE LA SCÈNE III. — Le mouvement de la scène : montrez qu'il est fondé sur le même effet que la scène IV de l'acte II et la scène première de l'acte III, puisqu'il s'agit chaque fois pour un personnage d'annoncer, non sans préparation ni hésitation, une nouvelle qu'il n'*ose* pas dire. Quelles sont cependant les différences avec ces deux autres scènes?

— Le progrès de l'action : à quel point en est maintenant le plan prévu par Titus? Antiochus a-t-il contribué à son succès?

— Le caractère de Bérénice : de quelles violences est-elle capable? Est-elle plus clairvoyante qu'aux actes précédents?

Je m'en garderai bien. Et ne partais-je pas,
Si Titus malgré moi n'eût arrêté mes pas?
Sans doute il faut partir. Continuons[1], Arsace.
Elle croit m'affliger : sa haine me fait grâce[2].
Tu me voyais tantôt inquiet, égaré;
Je partais amoureux, jaloux, désespéré;
Et maintenant, Arsace, après cette défense,
Je partirai peut-être avec indifférence.

ARSACE

Moins que jamais, Seigneur, il faut vous éloigner.

ANTIOCHUS

Moi! je demeurerai pour me voir dédaigner?
Des froideurs de Titus je serai responsable?
Je me verrai puni parce qu'il est coupable?
Avec quelle injustice et quelle indignité
Elle doute à mes yeux de ma sincérité!
Titus l'aime, dit-elle, et moi je l'ai trahie.
L'ingrate*! m'accuser de cette perfidie!
Et dans quel temps encor? dans le moment fatal*
Que[3] j'étale à ses yeux les pleurs de mon rival;
Que, pour la consoler, je le faisais paraître
Amoureux et constant plus qu'il ne l'est peut-être.

ARSACE

Et de quel soin*, Seigneur, vous allez-vous troubler*?
Laissez à ce torrent le temps de s'écouler :
Dans huit jours, dans un mois, n'importe, il faut qu'il passe.
Demeurez seulement.

---

1. *Continuons :* suivons la décision déjà prise; 2. Une *grâce :* une faveur; 3. Dans le moment où...

QUESTIONS

● VERS 919-940. La réaction d'Antiochus : son dépit se justifie-t-il? Pourquoi se complaît-il à analyser les bonnes raisons de partir qu'il a maintenant?

● VERS 941-952. Tout en rejetant les conseils d'Arsace, Antiochus ne se donne-t-il pas encore un délai? Qu'est-ce que les vers 949-952 révèlent de ses sentiments profonds?

ANTIOCHUS

Non, je la quitte, Arsace.
Je sens qu'à sa douleur je pourrais compatir;
Ma gloire*, mon repos, tout m'excite à partir.
Allons; et de si loin évitons la cruelle*,
Que de longtemps, Arsace, on ne nous parle d'elle.
Toutefois il nous reste encore assez de jour :
Je vais dans mon palais attendre ton retour.
Va voir si la douleur ne l'a point trop saisie[1].
Cours; et partons du moins assurés de sa vie[2].

ACTE IV

SCÈNE PREMIÈRE. — BÉRÉNICE, *seule*.

Phénice ne vient point! Moments trop rigoureux,
Que vous paraissez lents à mes rapides vœux!
Je m'agite, je cours, languissante, abattue;
La force m'abandonne, et le repos[3] me tue.

1. Ne s'est pas emparée d'elle; 2. Certains qu'elle vivra; 3. *Repos* : absence d'occupation extérieure.

QUESTIONS

■ SUR L'ENSEMBLE DE LA SCÈNE IV. — Comparez l'attitude d'Antiochus avec celle d'Oreste après la fuite d'Hermione (*Andromaque*, V, VI) et avec celle de Sévère après l'adieu de Pauline (*Polyeucte*, IV, VI).

■ SUR L'ENSEMBLE DE L'ACTE III. — L'action au cours de cet acte : dans quelle mesure le plan prévu par Titus a-t-il progressé? Énumérez toutes les circonstances qui ont, depuis le début de la tragédie, retardé le moment où Bérénice serait informée de la décision de l'empereur.

— La situation d'Antiochus est-elle en fait différente de ce qu'elle était au début de la tragédie? Pourquoi a-t-elle empiré sur le plan psychologique? Montrez que l'acte III a porté à son comble le malentendu entre les trois personnages.

— Comparez la structure de cet acte (l'acte d'Antiochus) à celle de l'acte II (l'acte de Titus).

Phénice ne vient point. Ah! que cette longueur
D'un présage funeste* épouvante mon cœur!
Phénice n'aura point de réponse à me rendre.
Titus, l'ingrat* Titus n'a point voulu l'entendre;
Il fuit, il se dérobe à ma juste fureur*.

SCÈNE II. — BÉRÉNICE, PHÉNICE.

BÉRÉNICE

Chère Phénice, hé bien! as-tu vu l'empereur?
Qu'a-t-il dit? Viendra-t-il?

PHÉNICE

Oui, je l'ai vu, Madame,
Et j'ai peint à ses yeux le trouble* de votre âme.
J'ai vu couler des pleurs qu'il voulait retenir.

BÉRÉNICE

Vient-il?

PHÉNICE

N'en doutez point, Madame, il va venir.
Mais voulez-vous paraître en ce désordre* extrême?
Remettez-vous, Madame, et rentrez en vous-même[1].
Laissez-moi relever ces voiles détachés,
Et ces cheveux épars dont vos yeux sont cachés.
Souffrez que de vos pleurs je répare l'outrage.

BÉRÉNICE

Laisse, laisse, Phénice, il verra son ouvrage.
Eh que m'importe, hélas! de[2] ces vains ornements?

---

1. Revenez à vous, et non : faites réflexion sur vous-même; 2. *Que m'importe de* est une construction courante dans le français du XVIIe siècle.

QUESTIONS

■ SUR LA SCÈNE PREMIÈRE. — L'état d'âme de Bérénice : quelle décision a-t-elle prise pendant l'entracte? Contre qui tourne-t-elle maintenant sa colère (vers 960-961)?

— Étudiez le mouvement et le vocabulaire de ce court monologue. En quoi donne-t-il le ton à l'acte qui commence?

Si ma foi[1], si mes pleurs, si mes gémissements,
Mais que dis-je, mes pleurs? si ma perte certaine,
Si ma mort toute prête enfin ne le ramène,
Dis-moi, que produiront tes secours superflus,
Et tout ce faible éclat[2] qui ne le touche plus?

PHÉNICE

Pourquoi lui faites-vous cet injuste reproche?
J'entends du bruit, Madame, et l'empereur s'approche.
Venez, fuyez la foule, et rentrons promptement :
Vous l'entretiendrez seul dans votre appartement.

SCÈNE III. — TITUS, PAULIN, SUITE.

TITUS

De la reine, Paulin, flattez[3] l'inquiétude :
Je vais la voir. Je veux un peu de solitude.
Que l'on me laisse.

PAULIN

O ciel! que je crains ce combat!
Grands dieux, sauvez sa gloire* et l'honneur de l'État!
Voyons la reine.

SCÈNE IV. — TITUS, *seul.*

Hé bien, Titus, que viens-tu faire?
Bérénice t'attend. Où viens-tu, téméraire[4]?

1. *Foi :* fidélité ; 2. Celui de ma beauté elle-même ; 3. *Flatter :* adoucir par un espoir ; 4. Inconscient de ton imprudence.

QUESTIONS

■ SUR LA SCÈNE II. — Comparez le « désordre » de Bérénice à celui de Phèdre (I, III et III, II). En quoi y a-t-il là, pour une princesse de tragédie, le signe d'un désespoir extrême? Pourquoi cependant Bérénice cède-t-elle aux instances de Phénice?

— Importance des vers 975-976 : quel dénouement possible apparaît ici pour la première fois?

■ SUR LA SCÈNE III. — Le moyen employé par Racine pour isoler Titus est-il vraisemblable?

Tes adieux sont-ils prêts? T'es-tu bien consulté?
Ton cœur te promet-il assez de cruauté?
Car enfin au combat[1] qui pour toi se prépare
C'est peu d'être constant[2], il faut être barbare.
Soutiendrai-je ces yeux dont la douce langueur
Sait si bien découvrir les chemins de mon cœur?
Quand je verrai ces yeux armés de tous leurs charmes*,
Attachés sur les miens, m'accabler de leurs larmes,
Me souviendrai-je alors de mon triste* devoir?
Pourrai-je dire enfin : « Je ne veux plus vous voir »?
Je viens percer un cœur qui m'adore, qui m'aime.
Et pourquoi le percer? Qui l'ordonne? Moi-même;
Car enfin Rome a-t-elle expliqué ses souhaits?
L'entendons-nous crier autour de ce palais?
Vois-je l'État penchant au bord du précipice?
Ne le puis-je sauver que par ce sacrifice?
Tout se tait : et moi seul, trop prompt à me troubler*,
J'avance des malheurs que je puis reculer.
Et qui sait si, sensible aux vertus de la reine,
Rome ne voudra point l'avouer[3] pour Romaine?
Rome peut par son choix justifier[4] le mien.
Non, non, encore un coup, ne précipitons rien.
Que Rome, avec ses lois, mette dans la balance
Tant de pleurs, tant d'amour, tant de persévérance.
Rome sera pour nous... Titus, ouvre les yeux!
Quel air respires-tu? N'es-tu pas dans ces lieux
Où la haine des rois, avec le lait sucée,
Par crainte ou par amour ne peut être effacée?
Rome jugea ta reine en condamnant ses rois.
N'as-tu pas en naissant entendu cette voix?
Et n'as-tu pas encore ouï la renommée
T'annoncer ton devoir jusque dans ton armée?
Et lorsque Bérénice arriva sur tes pas,
Ce que Rome en jugeait, ne l'entendis-tu pas?
Faut-il donc tant de fois te le faire redire?
Ah! lâche! fais l'amour[5], et renonce à l'empire.
Au bout de l'univers va, cours te confiner,
Et fais place à des cœurs plus dignes de régner.

---

1. *Au combat :* dans le combat; 2. *Constant :* fidèle à la décision prise; 3. *Avouer :* reconnaître; 4. *Justifier :* rendre conforme aux lois; 5. *Faire l'amour :* « aimer d'une passion déclarée » (*Dictionnaire de l'Académie,* 1694).

Sont-ce là ces projets de grandeur et de gloire*
Qui devaient dans les cœurs consacrer ma mémoire?
Depuis huit jours je règne, et, jusques à ce jour,
Qu'ai-je fait pour l'honneur? J'ai tout fait pour l'amour.
D'un temps si précieux quel compte puis-je rendre?
Où sont ces heureux jours que je faisais attendre?
Quels pleurs ai-je séchés? Dans quels yeux satisfaits
Ai-je déjà goûté le fruit de mes bienfaits?
L'univers a-t-il vu changer ses destinées?
Sais-je combien le ciel m'a compté de journées[1]?
Et de ce peu de jours si longtemps attendus,
Ah! malheureux! combien j'en ai déjà perdus[2]!
Ne tardons plus : faisons ce que l'honneur exige :
Rompons le seul lien...

SCÈNE V. — BÉRÉNICE, TITUS.

BÉRÉNICE, *en sortant* [*de son appartement*].

Non, laissez-moi, vous dis-je.
En vain tous vos conseils me retiennent ici[3]!
Il faut que je le voie. Ah! Seigneur! vous voici.
Hé bien! il est donc vrai que Titus m'abandonne?
Il faut nous séparer. Et c'est lui qui l'ordonne.

---

1. A porté à mon compte de journées à vivre; **2.** Utilisation d'un mot de Titus qui aurait dit, quand il avait passé un jour sans faire le bien : « J'ai perdu ma journée » (Suétone, *Titus*, VIII). Voir Documentation thématique; **3.** Elle s'adresse à Phénice et à ses suivantes, qui s'efforcent de la retenir dans son appartement.

QUESTIONS

■ SUR LA SCÈNE IV. — La composition de ce monologue : en quoi son plan est-il conforme aux modèles du genre créés par Corneille? Montrez qu'il met en balance tous les arguments favorables et défavorables au mariage de Titus et de Bérénice.

— L'utilité dramatique de ce monologue, en ce moment de l'action. Pouvons-nous croire que Titus reviendra sur la décision à laquelle il se range maintenant?

— Quel est le ton de ce monologue? Retrouvons-nous exactement le Titus de l'acte II (scène II) ou de l'acte III (scène première)? Quelles préoccupations semblent maintenant tenir la première place? Comment Racine a-t-il encore utilisé ici l'image traditionnelle que l'histoire a donnée de Titus empereur?

TITUS

N'accablez point, Madame, un prince malheureux,
Il ne faut point ici nous attendrir tous deux.
Un trouble* assez cruel m'agite et me dévore,
Sans que des pleurs si chers me déchirent encore.
Rappelez bien plutôt ce cœur qui tant de fois
M'a fait de mon devoir reconnaître la voix.
Il en est temps. Forcez votre amour à se taire;
Et d'un œil que la gloire* et la raison éclaire[1]
Contemplez mon devoir dans toute sa rigueur.
Vous-même, contre vous, fortifiez mon cœur;
Aidez-moi, s'il se peut, à vaincre sa faiblesse,
A retenir des pleurs qui m'échappent sans cesse;
Ou, si nous ne pouvons commander à nos pleurs,
Que la gloire* du moins soutienne nos douleurs;
Et que tout l'univers reconnaisse sans peine
Les pleurs d'un empereur et les pleurs d'une reine.
Car enfin, ma princesse, il faut nous séparer.

BÉRÉNICE

Ah! cruel*! est-il temps de[2] me le déclarer?
Qu'avez-vous fait? Hélas! je me suis crue aimée.
Au plaisir de vous voir mon âme accoutumée
Ne vit plus que pour vous. Ignoriez-vous vos lois,
Quand je vous l'avouai pour la première fois?
A quel excès d'amour m'avez-vous amenée!
Que ne me disiez-vous : « Princesse infortunée,

---

1. L'accord avec un seul sujet facilite ici la rime; **2.** N'est-il pas trop tard pour...

QUESTIONS

● VERS 1041-1044. Bérénice s'est-elle apaisée depuis le début de l'acte? Dans quel état d'âme se trouve chacun des deux personnages au moment de cette entrevue décisive?

● VERS 1045-1061. La sérénité de Titus est-elle sincère ou calculée? Les termes qu'il emploie pourraient être d'un personnage cornélien : mais faut-il l'égaler à un héros de Corneille? Comparez Titus à Polyeucte renonçant à Pauline (*Polyeucte*, IV, III). — Rapprochez le vers 1061 du vers 1044 et aussi des vers 446, 714, 894. Combien a-t-il fallu de temps pour que Titus et Bérénice se trouvent face à face devant le problème de leur séparation?

Où vas-tu t'engager, et quel est ton espoir?
Ne donne point un cœur qu'on ne peut recevoir. »
Ne l'avez-vous reçu, cruel*, que pour le rendre,
Quand de vos seules mains ce cœur voudrait dépendre?
Tout l'empire a vingt fois conspiré contre nous.
Il était temps encor : que ne me quittiez-vous?
Mille raisons alors consolaient[1] ma misère[2] :
Je pouvais[3] de ma mort[4] accuser votre père,
Le peuple, le sénat, tout l'empire romain,
Tout l'univers, plutôt qu'une si chère main.
Leur haine, dès longtemps contre moi déclarée,
M'avait à mon malheur dès longtemps préparée.
Je n'aurais pas, Seigneur, reçu ce coup cruel*
Dans le temps que j'espère un bonheur immortel,
Quand votre heureux amour peut tout ce qu'il désire,
Lorsque Rome se tait, quand votre père expire,
Lorsque tout l'univers fléchit à vos genoux,
Enfin quand je n'ai plus à redouter que vous.

TITUS

Et c'est moi seul aussi qui pouvais me détruire[5].
Je pouvais vivre alors et me laisser séduire[6].
Mon cœur se gardait bien d'aller dans l'avenir
Chercher ce qui pouvait un jour nous désunir.
Je voulais qu'à mes vœux rien ne fût invincible,
Je n'examinais rien, j'espérais l'impossible.
Que sais-je? J'espérais de mourir à vos yeux
Avant que d'en venir à ces cruels* adieux.
Les obstacles semblaient renouveler ma flamme.
Tout l'empire parlait. Mais la gloire*, Madame,
Ne s'était point encor fait entendre à mon cœur
Du ton dont elle parle au cœur d'un empereur.
Je sais tous les tourments* où ce dessein me livre.

1. Auraient pu consoler; 2. *Misère :* malheur; 3. J'aurais pu; 4. Parce qu'elle ne pourra survivre à la rupture; 5. C'est moi seulement qui pouvais me perdre; 6. *Séduire :* conduire hors du droit chemin (en cédant à mon amour).

QUESTIONS

● VERS 1062-1086. L'argument sentimental que Bérénice oppose à l'argument moral n'est-il pas irréfutable? De la façon même dont elle discute, ne montre-t-elle pas qu'elle a senti la nécessité de se défendre contre un Titus devenu « raisonnable »?

Je sens bien que sans vous je ne saurais plus vivre,
Que mon cœur de moi-même est prêt à s'éloigner[1];
Mais il ne s'agit plus de vivre, il faut régner.

BÉRÉNICE

Hé bien! régnez, cruel*; contentez votre gloire* :
Je ne dispute[2] plus. J'attendais, pour vous croire,
Que cette même bouche, après mille serments
D'un amour qui devait unir tous nos moments,
Cette bouche, à mes yeux[3] s'avouant infidèle,
M'ordonnât elle-même une absence éternelle.
Moi-même, j'ai voulu vous entendre en ce lieu.
Je n'écoute plus rien, et pour jamais adieu.
Pour jamais! Ah! Seigneur, songez-vous en vous-même
Combien ce mot cruel* est affreux quand on aime?
Dans un mois, dans un an, comment souffrirons-nous,
Seigneur, que tant de mers me séparent de vous?
Que le jour recommence et que le jour finisse
Sans que jamais Titus puisse voir Bérénice,
Sans que de tout le jour je puisse voir Titus?
Mais quelle est mon erreur, et que de soins* perdus!
L'ingrat*, de mon départ consolé par avance,
Daignera-t-il compter les jours de mon absence?
Ces jours, si longs pour moi, lui sembleront trop courts.

TITUS

Je n'aurai pas, Madame, à compter tant de jours.
J'espère que bientôt la triste* renommée
Vous fera confesser que vous étiez aimée.
Vous verrez que Titus n'a pu, sans expirer...

---

1. Bérénice emportera avec elle ce cœur; 2. *Disputer* : discuter; 3. Devant moi.

QUESTIONS

- VERS 1087-1102. Titus est-il décontenancé par les reproches de Bérénice? Quel est l'argument capital par lequel il pense vaincre les objections de la reine? Comparez cette tirade aux vers 451-470 : quelle vérité semble s'imposer définitivement à Titus?
- VERS 1103-1121. Le changement de ton par rapport à la tirade 1062-1086 : quels sont les deux sentiments qui se succèdent chez Bérénice? Le caractère élégiaque des vers 1111-1121. — Rapprochez le vers 1113 du vers 943 : quelle erreur commettait alors Arsace?

BÉRÉNICE

Ah! Seigneur, s'il est vrai, pourquoi nous séparer?
Je ne vous parle point d'un heureux hyménée :
Rome à ne vous plus voir m'a-t-elle condamnée?
Pourquoi m'enviez[1]-vous l'air que vous respirez?

TITUS

Hélas! vous pouvez tout, Madame. Demeurez :
Je n'y résiste point. Mais je sens ma faiblesse.
Il faudra vous combattre et vous craindre sans cesse,
Et sans cesse veiller à retenir mes pas,
Que vers vous à toute heure entraînent vos appas.
Que dis-je? En ce moment mon cœur, hors de lui-même,
S'oublie, et se souvient seulement qu'il vous aime.

BÉRÉNICE

Hé bien, Seigneur, hé bien, qu'en peut-il arriver?
Voyez-vous les Romains prêts à se soulever?

TITUS

Et qui sait de quel œil ils prendront cette injure?
S'ils parlent, si les cris[2] succèdent au murmure,
Faudra-t-il par le sang justifier mon choix?
S'ils se taisent, Madame, et me vendent[3] leurs lois,
A quoi m'exposez-vous? Par quelle complaisance
Faudra-t-il quelque jour payer leur patience?
Que n'oseront-ils point alors me demander?
Maintiendrai-je des lois que je ne puis garder[4]?

BÉRÉNICE

Vous ne comptez pour rien les pleurs de Bérénice.

TITUS

Je les compte pour rien! Ah! ciel! quelle injustice!

BÉRÉNICE

Quoi? pour d'injustes lois que vous pouvez changer,

---

1. *Envier :* refuser par égoïsme; 2. Les *cris* supposent une protestation plus précise que le *murmure,* qui reste une manifestation violente, mais confuse de mécontentement; 3. S'ils exigent des concessions en échange des lois que l'empereur ne respecterait plus; 4. *Garder :* observer.

En d'éternels chagrins[1] vous-même vous plonger?
Rome a ses droits, Seigneur : n'avez-vous pas les vôtres?
Ses intérêts sont-ils plus sacrés que les nôtres?
Dites, parlez.

TITUS

Hélas! Que vous me déchirez!

BÉRÉNICE

Vous êtes empereur, Seigneur, et vous pleurez[2]!

TITUS

Oui, Madame, il est vrai, je pleure, je soupire,
Je frémis. Mais enfin, quand j'acceptai l'empire,
Rome me fit jurer de maintenir ses droits :
Il les faut maintenir. Déjà plus d'une fois
Rome a de mes pareils exercé[3] la constance.
Ah! si vous remontiez jusques à sa naissance,
Vous les verriez toujours à ses ordres soumis[4].
L'un[5], jaloux de sa foi[6], va chez les ennemis
Chercher avec la mort la peine toute prête;
D'un fils victorieux l'autre[7] proscrit[8] la tête;
L'autre[9], avec des yeux secs et presque indifférents,

---

1. *Chagrins :* douleurs (sens fort); 2. Ce vers pouvait rappeler la réplique célèbre de Marie Mancini à Louis XIV lors de leur rupture : « Vous m'aimez, vous êtes roi, vous pleurez, et je pars. » Si l'on en croit l'abbé de Villars, ce vers aurait fait rire les spectateurs aux premières représentations. D'autre part, la sensibilité de Titus est attestée par Suétone (*Titus,* X). Voir Documentation thématique; 3. *Exercer :* mettre à l'épreuve; 4. *Var.* (éd. 1671) :

Vous les verriez toujours, jaloux de leur devoir,
De tous les autres nœuds oublier le pouvoir.

Les vers 1162-1166 ont été ajoutés après coup; 5. Régulus, qui, envoyé à Rome pour négocier l'échange des captifs par les Carthaginois qui l'avaient fait prisonnier, dissuada le Sénat d'accepter les propositions de l'ennemi et, esclave de sa parole, revint à Carthage pour y être supplicié (256 av. J.-C.); 6. Attaché scrupuleusement à la parole donnée; 7. Manlius Torquatus, qui condamna à mort son fils, coupable d'avoir livré sans son ordre un combat, dont il sortait pourtant victorieux (340 av. J.-C.); 8. *Proscrire :* décréter la mort sans procès; 9. Brutus l'Ancien, dont les deux fils avaient conspiré en faveur du retour des Tarquins, les fit condamner à mort.

QUESTIONS

● VERS 1122-1154. Montrez que l'émotion de Bérénice gagne Titus. — Comment Bérénice essaie-t-elle de regagner le terrain perdu? Quelle solution propose-t-elle aux vers 1126-1129? Quelle concession Titus fait-il (vers 1130)? — Cette décision lui apporte-t-elle la sérénité? Comment la scène rebondit-elle? — L'ironie tragique du vers 1154.

Voit mourir ses deux fils, par son ordre expirants[1].
Malheureux! Mais toujours la patrie et la gloire
Ont parmi les Romains remporté la victoire.
Je sais qu'en vous quittant le malheureux Titus
Passe[2] l'austérité de toutes leurs vertus*;
Qu'elle n'approche point de cet effort insigne;
Mais, Madame, après tout, me croyez-vous indigne
De laisser un exemple à la postérité
Qui sans de grands efforts ne puisse être imité?

BÉRÉNICE

Non, je crois tout facile à votre barbarie.
Je vous crois digne, ingrat*, de m'arracher la vie.
De tous vos sentiments mon cœur est éclairci.
Je ne vous parle plus de me laisser ici.
Qui, moi? j'aurais voulu, honteuse et méprisée,
D'un peuple qui me hait soutenir la risée?
J'ai voulu vous pousser jusques à ce refus :
C'en est fait, et bientôt vous ne me craindrez plus.
N'attendez pas ici que j'éclate en injures,
Que j'atteste le ciel, ennemi des parjures.
Non, si le ciel encore est touché de mes pleurs,
Je le prie, en mourant, d'oublier mes douleurs.
Si je forme des vœux contre votre injustice,
Si devant que mourir la triste Bérénice
Vous veut de son trépas laisser quelque vengeur,
Je ne le cherche, ingrat*, qu'au fond de votre cœur.
Je sais que tant d'amour[3] n'en peut être effacée;
Que ma douleur présente et ma bonté passée,
Mon sang, qu'en ce palais je veux même[4] verser,
Sont autant d'ennemis que je vais vous laisser :

1. Participe présent avec accord; 2. *Passer :* surpasser; 3. *Amour :* féminin, selon l'usage assez fréquent au XVIIe siècle; 4. Comprendre : en ce palais même.

QUESTIONS

● VERS 1155-1174. L'exclamation de Bérénice (vers 1154) a-t-elle suscité chez Titus le revirement qu'elle attendait peut-être? Quel est le mot qu'il a surtout retenu? Montrez que Titus revient aux arguments qu'il avait employés au début de la scène. — Si l'on se place sur le plan de la critique historique moderne, est-ce que les exemples invoqués par Titus (Régulus, Manlius, Brutus l'Ancien) sont valables pour justifier sa décision? Le public du XVIIe siècle aurait-il eu les mêmes arguments que nous pour critiquer ces exemples historiques?

Et, sans me repentir de ma persévérance[1],
Je me remets sur eux de toute ma vengeance.
Adieu.

SCÈNE VI. — TITUS, PAULIN.

PAULIN

Dans quel dessein vient-elle de sortir,
Seigneur? Est-elle enfin disposée à partir?

TITUS

Paulin, je suis perdu, je n'y pourrai survivre.
La reine veut mourir. Allons, il faut la suivre.
Courons à son secours.

PAULIN

Hé quoi! n'avez-vous pas
Ordonné dès tantôt qu'on observe ses pas?
Ses femmes, à toute heure autour d'elle empressées,
Sauront la détourner de ces tristes* pensées.
Non, non, ne craignez rien. Voilà les plus grands coups,

---

1. La constance de mon amour.

QUESTIONS

● VERS 1175-1197. Expliquez l'indignation de Bérénice : montrez que son échec met en jeu non seulement son amour mais son orgueil. — Quel sentiment s'exprime au vers 1181? — En quoi Bérénice est-elle différente d'une héroïne de Corneille quand elle annonce son suicide?

■ SUR L'ENSEMBLE DE LA SCÈNE VI. — La composition de cette scène : l'état d'âme des deux personnages au début de la scène, l'émotion qui les unit un instant, l'effort désespéré de Titus pour s'en tenir à sa résolution. L'issue de la scène était-elle prévue par le spectateur ou restait-elle incertaine?

— L'importance de la scène dans l'ensemble de l'action : en quoi marque-t-elle une étape décisive dans le progrès de l'intrigue? Comparez-la à la scène IV de l'acte II : aurait-il mieux valu que Titus dise la vérité à Bérénice à ce moment? Pourquoi l'entrevue est-elle plus dramatique ici qu'elle ne l'aurait été à l'acte II?

— Le caractère de Titus : comment a-t-il résolu le conflit qui le déchirait?

— Le caractère de Bérénice : est-elle plus clairvoyante des réalités politiques qu'elle ne l'était auparavant? La part de l'amour-propre dans son amour pour Titus.

Seigneur; continuez, la victoire est à vous.
Je sais que sans pitié vous n'avez pu l'entendre;
Moi-même, en la voyant, je n'ai pu m'en[1] défendre.
Mais regardez plus loin. Songez, en ce malheur,
Quelle gloire* va suivre un moment de douleur,
Quels applaudissements l'univers vous prépare,
Quel rang dans l'avenir.

TITUS

Non, je suis un barbare;
Moi-même je me hais. Néron, tant détesté,
N'a point à cet excès poussé sa cruauté.
Je ne souffrirai point que Bérénice expire.
Allons, Rome en dira ce qu'elle en voudra dire.

PAULIN

Quoi! Seigneur!

TITUS

Je ne sais, Paulin, ce que je dis.
L'excès de la douleur accable mes esprits.

PAULIN

Ne troublez* point le cours de votre renommée :
Déjà de vos adieux la nouvelle est semée.
Rome, qui gémissait, triomphe avec raison;
Tous les temples ouverts fument en votre nom[2];
Et le peuple, élevant vos vertus jusqu'aux nues,
Va partout de lauriers couronner vos statues.

TITUS

Ah! Rome! Ah! Bérénice! Ah! prince malheureux!
Pourquoi suis-je empereur? Pourquoi suis-je amoureux?

---

1. D'un sentiment de pitié; 2. Laissent échapper les fumées des sacrifices faits en votre honneur.

QUESTIONS

■ SUR LA SCÈNE VI. — Le désarroi de Titus ne nous éclaire-t-il pas sur l'effort qu'il vient de faire sur lui-même dans la scène précédente?
— Rapprochez les vers 1213-1214 des vers 351-354.
— Le rôle de Paulin : quelle est sa seule préoccupation ici?

Phot. Lipnitzki.

MICHEL ETCHEVERRY (Paulin) ET ANDRÉ FALCON (Titus)
Comédie-Française (1962)

SCÈNE VII. — TITUS, ANTIOCHUS, PAULIN, ARSACE.

ANTIOCHUS

Qu'avez-vous fait, Seigneur? l'aimable[1] Bérénice
Va peut-être expirer dans les bras de Phénice.
Elle n'entend ni pleurs, ni conseils, ni raison;
Elle implore à grands cris le fer et le poison.
Vous seul vous lui pouvez arracher cette envie :
On vous nomme, et ce nom la rappelle à la vie.
Ses yeux, toujours tournés vers votre appartement,
Semblent vous demander de moment en moment.
Je n'y puis résister, ce spectacle me tue.
Que tardez-vous? Allez vous montrer à sa vue.
Sauvez tant de vertu*, de grâce, de beauté,
Ou renoncez, Seigneur, à toute humanité.
Dites un mot.

TITUS

Hélas! quel mot puis-je lui dire?
Moi-même en ce moment sais-je si je respire?

SCÈNE VIII. — TITUS, ANTIOCHUS, PAULIN, ARSACE, RUTILE.

RUTILE

Seigneur, tous les tribuns, les consuls, le sénat,
Viennent vous demander au nom de tout l'État.
Un grand peuple les suit, qui, plein d'impatience,
Dans votre appartement attend votre présence.

---

1. *Aimable* : digne d'être aimée.

QUESTIONS

■ SUR LA SCÈNE VII. — Ce brusque retour d'Antiochus se justifie-t-il sur le plan dramatique? sur le plan psychologique? Montrez qu'il accentue encore le pathétique de cette fin d'acte.

— La poignante inquiétude d'Antiochus : que sait-il? Que voudrait-il savoir?

— Quelle image Antiochus donne-t-il de la détresse de Bérénice? Serait-il possible et conforme à la bienséance de présenter sur scène un tel désarroi?

TITUS

Je vous entends[1], grands dieux! Vous voulez rassurer
Ce cœur que vous voyez tout prêt à s'égarer.

PAULIN

Venez, Seigneur, passons dans la chambre prochaine,
Allons voir le sénat.

ANTIOCHUS

Ah! courez chez la reine.

PAULIN

Quoi! vous pourriez, Seigneur, par cette indignité,
De l'empire à vos pieds fouler la majesté?
Rome...

TITUS

Il suffit, Paulin, nous allons les entendre.
(A Antiochus.)
Prince, de ce devoir je ne puis me défendre.
Voyez la reine. Allez. J'espère à mon retour
Qu'elle ne pourra plus douter de mon amour.

SCÈNE IX. — ANTIOCHUS, ARSACE[2].

ANTIOCHUS

Arsace, que dis-tu de toute ma conduite?
Rien ne pouvait tantôt s'opposer à ma fuite,
Bérénice et Titus offensaient mes regards.
Je partais pour jamais. Voilà comme je pars.
Je rentre, et dans les pleurs je retrouve la reine.

1. *Je vous entends :* je vous comprends; 2. Cette scène IX n'existe que dans l'édition de 1671 et avait été sans doute jouée lors des représentations de 1670. Racine l'a supprimée dans les éditions suivantes.

QUESTIONS

■ SUR LA SCÈNE VIII. — Pourquoi Racine fait-il intervenir à ce moment le peuple et le sénat romain? Devant quelle nécessité concrète cet événement place-t-il Titus? Importance des trois derniers vers : la résolution de Titus est-elle claire? Comment interpréter le dernier vers? Titus songe-t-il à épouser malgré tout Bérénice? à se tuer? à abdiquer?
— Les événements extérieurs ont-ils joué un grand rôle jusqu'ici dans le déroulement de la tragédie?

J'oublie en même temps ma vengeance et ma haine :
Je m'attendris aux pleurs qu'un rival fait couler.
Moi-même à son secours je le viens appeler.
Et, si sa diligence eût secondé mon zèle,
J'allais, victorieux, le conduire auprès d'elle.
Malheureux que je suis! avec quelle chaleur
J'ai travaillé sans cesse à mon propre malheur!
C'en est trop. De Titus porte-lui les promesses,
Arsace. Je rougis de toutes mes faiblesses.
Désespéré, confus, à moi-même odieux;
Laisse-moi; je me veux cacher même à tes yeux.

ACTE V

Scène première. — ARSACE, *seul.*

Où pourrai-je trouver ce prince trop fidèle?
Ciel, conduisez mes pas, et secondez mon zèle.
Faites qu'en ce moment je lui puisse annoncer
Un bonheur où peut-être il n'ose plus penser.

QUESTIONS

■ Sur la scène ix. — Pourquoi Racine a-t-il considéré que cette scène n'était pas indispensable? L'acte finit-il mieux sans cette scène?

— Antiochus jugé par lui-même : est-il lucide? Sa ressemblance avec Oreste.

■ Sur l'ensemble de l'acte IV. — Montrez que cet acte est essentiellement formé d'une seule scène, encadrée des épisodes qui en montrent les préparatifs et les aboutissements.

— Le progrès de l'action : quel pas décisif a été franchi? Quelle est maintenant la situation réciproque des trois personnages principaux? Le rythme des dernières scènes (vi, vii, viii).

— Quelle est, dans les tragédies de Racine, l'importance habituelle de l'acte IV? Dans *Bérénice*, l'acte IV tient-il une place différente? Quel est le dénouement vers lequel on semble s'orienter?

■ Sur la scène première. — L'agitation qui régnait au palais a-t-elle cessé durant l'entracte? Montrez que cette courte scène est destinée à créer le climat de ce début d'acte.

SCÈNE II. — ANTIOCHUS, ARSACE.

ARSACE

Ah! quel heureux destin en ces lieux vous renvoie,
Seigneur?

ANTIOCHUS

Si mon retour t'apporte quelque joie,
Arsace, rends-en grâce à mon seul désespoir.

ARSACE

La reine part, Seigneur.

ANTIOCHUS

Elle part?

ARSACE

Dès ce soir.
Ses ordres sont donnés. Elle s'est offensée
Que Titus à ses pleurs l'ait si longtemps laissée.
Un généreux* dépit succède à sa fureur* :
Bérénice renonce à Rome, à l'empereur,
Et même veut partir avant que Rome instruite
Puisse voir son désordre* et jouir de sa fuite.
Elle écrit à César.

ANTIOCHUS

O ciel! qui l'aurait cru?
Et Titus?

ARSACE

A ses yeux Titus n'a point paru.
Le peuple avec transport* l'arrête et l'environne,
Applaudissant aux noms que le sénat lui donne;
Et ces noms, ces respects, ces applaudissements
Deviennent pour Titus autant d'engagements
Qui, le liant, Seigneur, d'une honorable chaîne,
Malgré tous ses soupirs* et les pleurs de la reine,
Fixent dans son devoir ses vœux irrésolus.
C'en est fait, et peut-être il ne la verra plus.

ANTIOCHUS

Que de sujets d'espoirs, Arsace, je l'avoue!
Mais d'un soin* si cruel* la fortune* me joue;

J'ai vu tous mes projets tant de fois démentis
Que j'écoute en tremblant tout ce que tu me dis;
Et mon cœur, prévenu[1] d'une crainte importune,
Croit, même en espérant, irriter[2] la fortune*.
Mais que vois-je? Titus porte vers nous ses pas.
Que veut-il?

SCÈNE III. — TITUS, ANTIOCHUS, ARSACE.

TITUS, *en entrant.*

Demeurez : qu'on ne me suive pas[3].
Enfin, Prince, je viens dégager ma promesse[4].
Bérénice m'occupe[5] et m'afflige sans cesse.
Je viens, le cœur percé de vos pleurs et des siens,
Calmer des déplaisirs[6] moins cruels* que les miens.
Venez, Prince, venez. Je veux bien que vous-même
Pour la dernière fois vous voyez[7] si je l'aime.
(Il passe dans l'appartement de Bérénice.)

SCÈNE IV. — ANTIOCHUS, ARSACE.

ANTIOCHUS

Hé bien! voilà l'espoir que tu m'avais rendu;
Et tu vois le triomphe où j'étais attendu.

1. *Prévenu :* ému à l'avance; 2. *Irriter :* provoquer; 3. Il parle aux gens de son escorte, qui sont supposés dans la coulisse; 4. *Dégager ma promesse :* tenir ma promesse, faire ce à quoi je suis engagé; 5. *Occuper :* préoccuper; 6. *Déplaisirs :* chagrins (sens fort); 7. Orthographe usuelle du subjonctif au XVIIe siècle.

QUESTIONS

■ SUR LA SCÈNE II. — Que s'est-il passé pendant l'entracte, si on en croit Arsace? En quoi y a-t-il eu coup de théâtre?

— La logique d'Arsace : comparez son analyse de la situation à celle qu'il faisait acte III, scène II. Le ton satisfait et convaincu sur lequel il énonce ce qui est une évidence pour lui. Importance du vers 1269 pour la suite de l'action.

— La réaction d'Antiochus est-elle conforme à son caractère?

■ SUR LA SCÈNE III. — Utilité dramatique de ce rapide passage de Titus. L'imprécision des termes, nécessaire pour créer un quiproquo tragique, se justifie-t-elle par l'état d'esprit dans lequel se trouve Titus? Importance des vers 1291-1292 : quelle scène se prépare ici?

Bérénice partait justement irritée!
Pour ne la plus revoir, Titus l'avait quittée!
Qu'ai-je donc fait, grands dieux? Quel cours infortuné
A ma funeste* vie aviez-vous destiné?
Tous mes moments ne sont qu'un éternel passage
De la crainte à l'espoir, de l'espoir à la rage.
Et je respire encor? Bérénice! Titus[1]!
Dieux cruels*! de mes pleurs vous ne vous rirez plus.
(Il sort.)

SCÈNE V. — TITUS, BÉRÉNICE, PHÉNICE.

BÉRÉNICE

Non, je n'écoute rien. Me voilà résolue :
Je veux partir. Pourquoi vous montrer à ma vue?
Pourquoi venir encore aigrir mon désespoir?
N'êtes-vous pas content? Je ne veux plus vous voir.

TITUS

Mais, de grâce, écoutez.

BÉRÉNICE

Il n'est plus temps.

TITUS

Madame,
Un mot.

BÉRÉNICE

Non.

TITUS

Dans quel trouble* elle jette mon âme!
Ma princesse, d'où vient ce changement soudain?

---

1. Il aperçoit Titus et Bérénice qui viennent en conversant, il s'enfuit.

QUESTIONS

■ SUR LA SCÈNE IV. — Quel est le sens précis qu'Antiochus donne aux paroles de Titus? Pourquoi songe-t-il maintenant au suicide, et non plus au départ?

— D'après les quatre scènes de ce début d'acte, comment a évolué la situation depuis la fin de l'acte IV? Quelle est la situation des trois personnages actuellement? Par combien de décisions contradictoires chacun d'eux est-il passé?

BÉRÉNICE

C'en est fait. Vous voulez que je parte demain,
Et moi, j'ai résolu de partir tout à l'heure[1] :
Et je pars.

TITUS

Demeurez.

BÉRÉNICE

Ingrat*, que je demeure!
Et pourquoi? Pour entendre un peuple injurieux[2]
Qui fait de mon malheur retentir tous ces lieux?
Ne l'entendez-vous pas, cette cruelle* joie,
Tandis que dans les pleurs, moi seule, je me noie?
Quel crime, quelle offense a pu les[3] animer?
Hélas! et qu'ai-je fait que[4] de vous trop aimer?

TITUS

Écoutez-vous, Madame, une foule insensée?

BÉRÉNICE

Je ne vois rien ici dont je ne sois blessée.
Tout cet appartement préparé par vos soins*,
Ces lieux, de mon amour si longtemps les témoins,
Qui semblaient pour jamais me répondre du vôtre,
Ces festons[5], où nos noms enlacés l'un dans l'autre[6]
A mes tristes* regards viennent partout s'offrir,
Sont autant d'imposteurs que je ne puis souffrir.
Allons, Phénice.

TITUS

O ciel! que vous êtes injuste!

BÉRÉNICE

Retournez, retournez vers ce sénat auguste
Qui vient vous applaudir de votre cruauté.
Hé bien, avec plaisir l'avez-vous écouté?
Etes-vous pleinement content de votre gloire*[7]?
Avez-vous bien promis d'oublier ma mémoire?

---

1. *Tout à l'heure :* tout de suite; 2. *Injurieux :* injuste et outrageant; 3. Les gens du *peuple* (vers 1313); 4. Sinon; 5. *Var.* (éd. 1671) : *Ces chiffres;* 6. Racine imagine donc ce palais orné, comme certains châteaux français du XVIe et du XVIIe siècle, de médaillons où le souverain a fait graver ses initiales enlacées à celles de sa favorite ou de sa femme; 7. D'avoir entièrement satisfait à l'honneur.

Mais ce n'est pas assez expier vos amours :
Avez-vous bien promis de me haïr toujours?

TITUS

Non, je n'ai rien promis. Moi, que je vous haïsse!
Que je puisse jamais oublier Bérénice!
Ah! dieux! dans quel moment son injuste rigueur
De ce cruel* soupçon vient affliger mon cœur!
Connaissez-moi[1], Madame; et depuis cinq années,
Comptez tous les moments et toutes les journées
Où par plus de transports* et par plus de soupirs*
Je vous ai de mon cœur exprimé les désirs :
Ce jour surpasse tout. Jamais, je le confesse,
Vous ne fûtes aimée avec tant de tendresse;
Et jamais...

BÉRÉNICE

Vous m'aimez, vous me le soutenez,
Et cependant je pars, et vous me l'ordonnez[2]?
Quoi! dans mon désespoir trouvez-vous tant de charmes*?
Craignez-vous que mes yeux versent trop peu de larmes?
Que me sert de ce cœur l'inutile retour?
Ah! cruel*! par pitié montrez-moi moins d'amour.
Ne me rappelez point une trop chère idée[3],
Et laissez-moi du moins partir persuadée
Que déjà de votre âme exilée en secret,

---

1. Apprenez mes sentiments; 2. Voir vers 1154 et la note; 3. *Idée* : image, souvenir, par opposition à la réalité.

QUESTIONS

● VERS 1303-1334. Pourquoi Titus vient-il poursuivre ici la conversation commencée dans l'appartement de Bérénice (v. vers 1291-1292)? Comment se fait-il que Titus ne soit pas surpris de ne pas retrouver Antiochus? A quoi répond Bérénice au vers 1303? — Le mouvement de cette première partie de la scène : comparez les sentiments de Bérénice à ceux des vers 1175-1196. Quel événement a encore aigri ses sentiments? — Ne pourrait-on pas comparer ce passage à certaines scènes de dépit amoureux dans des comédies? Comment le même procédé dramatique peut-il aboutir à des effets complètement opposés dans la comédie et dans la tragédie?

J'abandonne un ingrat* qui me perd sans regret.
(Titus lit une lettre.)
Vous m'avez arraché ce que je viens d'écrire.
Voilà[1] de votre amour tout ce que je désire.
Lisez, ingrat*, lisez, et me laissez sortir.

TITUS

Vous ne sortirez point, je n'y puis consentir.
Quoi! ce départ n'est donc qu'un cruel* stratagème?
Vous cherchez à mourir? Et de tout ce que j'aime
Il ne restera plus qu'un triste* souvenir!
Qu'on cherche Antiochus, qu'on le fasse venir[2].
(Bérénice se laisse tomber sur un siège.)

1. Dans cette lettre que vous êtes en train de lire; 2. Titus avait demandé à Antiochus de rester (vers 1292), mais il est parti pour se tuer (vers 1302); son absence était évidemment nécessaire pour que se déroule la scène v. Mais maintenant l'empereur, constatant un peu tard l'absence d'Antiochus, doit le faire chercher. C'est Phénice qui sort pour exécuter l'ordre de Titus.

QUESTIONS

● VERS 1335-1354. L'importance du vers 1335 (premier hémistiche) : si l'on compare ces paroles de Titus au rapport fait par Arsace (vers 1271-1278), peut-on imaginer ce qui s'est passé au sénat? Bérénice peut-elle être satisfaite de ce *Je n'ai rien promis?* — Titus donne-t-il ensuite à la reine beaucoup d'assurances sur l'avenir? Bérénice comprend-elle mieux Titus (vers 1346-1354) qu'à la scène v de l'acte IV?

● VERS 1355-1362. Le jeu de scène au vers 1355 : la violence — même mesurée — des gestes est-elle fréquente dans la tragédie? De quoi est-elle le signe? — A la première représentation de *Bérénice*, cette lettre, dont parle Arsace au vers 1269, était lue tout haut. « Un mauvais plaisant dit que c'était le testament de Bérénice » (Voltaire), et Racine supprima la lecture de ce texte. L'abbé de Villars s'égayait de ce « poulet funèbre, pitoyable dénouement d'une pitoyable aventure », mais en regrettait en même temps la suppression, parce que cette lettre faisait mieux comprendre la décision prise par Titus de se suicider à son tour. Discutez, vous aussi, ce problème : ce procédé de la lettre surprise par Titus vous paraît-il conforme aux moyens tragiques habituels à Racine? Pourquoi Racine a-t-il supprimé la lecture de la lettre? L'effet dramatique en est-il accru? — Quel jeu de scène accompagne le vers 1358?

■ SUR L'ENSEMBLE DE LA SCÈNE V. — Le mouvement de cette scène, sa violence. En quoi le malentendu entre Bérénice et Titus s'est-il aggravé? L'intention de Titus quand il demande à Bérénice de retarder son départ (vers 1310). Comment se fait-il que l'empereur ne soupçonne pas le projet de suicide de Bérénice, alors qu'elle avait déjà parlé de mourir (vers 1175-1190)?

— La situation à la fin de la scène : dans quel projet Titus s'obstine-t-il?

Phot. Larousse.

« Vous cherchez à mourir ? Et de tout ce que j'aime
Il ne restera plus qu'un triste souvenir ! » (Vers 1360-1361.)

ILLUSTRATION DE CALMÉ

Phot. Larousse.

ACTE V, SCÈNE V

Illustration de Serangeli pour une édition de Racine (1807).

SCÈNE VI. — TITUS, BÉRÉNICE.

TITUS

Madame, il faut vous faire un aveu véritable[1] :
Lorsque j'envisageai le moment redoutable
Où, pressé par les lois d'un austère devoir,
Il fallait pour jamais renoncer à vous voir;
Quand de ce triste* adieu je prévis les approches,
Mes craintes, mes combats, vos larmes, vos reproches,
Je préparai mon âme à toutes les douleurs
Que peut faire sentir le plus grand des malheurs.
Mais, quoi que je craignisse, il faut que je le die[2],
Je n'en avais prévu que la moindre partie;
Je croyais ma vertu* moins prête à succomber,
Et j'ai honte du trouble* où je la vois tomber.
J'ai vu devant mes yeux Rome entière assemblée;
Le sénat m'a parlé; mais mon âme accablée
Écoutait sans entendre, et ne leur[3] a laissé
Pour prix de leurs transports* qu'un silence glacé.
Rome de votre sort est encore incertaine :
Moi-même à tous moments je me souviens à peine
Si je suis empereur ou si je suis Romain[4].
Je suis venu vers vous sans savoir mon dessein :
Mon amour m'entraînait; et je venais peut-être
Pour me chercher moi-même et pour me reconnaître.
Qu'ai-je trouvé? Je vois la mort peinte en vos yeux;
Je vois pour la chercher que vous quittez ces lieux :
C'en est trop. Ma douleur, à cette triste* vue,
A son dernier excès[5] est enfin parvenue.

---

1. *Véritable :* sincère; 2. Forme normale du subjonctif au XVIIe siècle; 3. Aux sénateurs et aux Romains (pluriel tiré de l'idée collective contenue dans *sénat* [vers 1376] et *Rome* [vers 1375]); 4. Si je suis le maître absolu ou un citoyen de Rome soumis aux lois; 5. A son point de grandeur extrême.

QUESTIONS

● VERS 1363-1374. Quel est, dès le premier vers, le ton adopté par Titus? Comparez son attitude à ce qu'elle était depuis la fin de l'acte IV et dans les premières scènes de l'acte V. — De quoi veut-il d'abord convaincre Bérénice? Relevez toutes les expressions destinées à faire comprendre à Bérénice le conflit qui le déchire. — Quelles expressions préparent Bérénice à sa décision? Importance du vers 1374.

Je ressens tous les maux que je puis ressentir;
Mais je vois le chemin par où j'en puis sortir.
Ne vous attendez point que, las de tant d'alarmes*,
Par un heureux hymen je tarisse vos larmes.
En quelque extrémité que vous m'ayez réduit,
Ma gloire* inexorable à toute heure me suit;
Sans cesse elle présente à mon âme étonnée[1]
L'empire incompatible avec votre hyménée[2],
Me dit qu'après l'éclat et les pas que j'ai faits[3]
Je dois vous épouser encor moins que jamais.
Oui, Madame; et je dois moins encore vous dire
Que je suis prêt pour vous d'abandonner l'empire,
De vous suivre et d'aller, trop content de mes fers[4],
Soupirer avec vous au bout de l'univers.
Vous-même rougiriez de ma lâche conduite :
Vous verriez à regret marcher à votre suite
Un indigne empereur sans empire, sans cour,
Vil spectacle aux humains des faiblesses d'amour.
Pour sortir des tourments* dont mon âme est la proie,
Il est, vous le savez, une plus noble voie;
Je me suis vu, Madame, enseigner ce chemin,
Et par plus d'un héros et par plus d'un Romain[5].
Lorsque trop de malheurs ont lassé leur constance,
Ils ont tous expliqué cette persévérance
Dont le sort s'attachait à les persécuter,
Comme un ordre secret de ne plus résister.

---

1. *Etonnée :* frappée de stupeur; 2. *Votre hyménée :* mon mariage avec vous; 3. Après les premiers pas éclatants que j'ai faits dans la carrière du pouvoir; 4. Les chaînes de l'esclavage amoureux (vocabulaire galant); 5. Des héros comme Hercule, des Romains comme Caton d'Utique et Sénèque, qui ont trouvé dans le suicide stoïcien la fin de leurs souffrances.

QUESTIONS

● VERS 1375-1390. Ce qui s'est passé au sénat : comparez aux vers 1335 et 1271-1279. En quoi les vers 1375-1379 répondent-ils aux vers 1328-1334? Bérénice peut-elle y trouver un apaisement? — Comparez le vers 1390 au vers 1374 : la progression des arguments dans la tirade de Titus; la lucidité du personnage.

● VERS 1391-1414. La rigueur du raisonnement : pourquoi Titus pense-t-il que le moment est venu de démontrer à Bérénice que certaines solutions sont impossibles? Comment essaie-t-il de faire participer Bérénice à sa propre conception de la « gloire »? — Dans quelle mesure est-il cornélien? A ce point de vue, analysez notamment les vers 1411-1414.

Si vos pleurs plus longtemps viennent frapper ma vue,
Si toujours à mourir je vous vois résolue,
S'il faut qu'à tous moments je tremble pour vos jours,
Si vous ne me jurez d'en respecter le cours,
Madame, à d'autres pleurs vous devez vous attendre :
En l'état où je suis je puis tout entreprendre,
Et je ne réponds pas que ma main à vos yeux
N'ensanglante à la fin nos funestes* adieux.

BÉRÉNICE

Hélas!

TITUS

Non, il n'est rien dont je ne sois capable.
Vous voilà de mes jours maintenant responsable.
Songez-y bien, Madame; et si je vous suis cher...

SCÈNE VII. — TITUS, BÉRÉNICE, ANTIOCHUS.

TITUS

Venez, Prince, venez, je vous ai fait chercher.
Soyez ici témoin de toute ma faiblesse;
Voyez si c'est aimer avec peu de tendresse.
Jugez-nous.

QUESTIONS

● VERS 1415-1425. Comment l'émotion perce-t-elle à travers les dernières paroles de Titus? Est-ce seulement pour intimider Bérénice qu'il menace de se donner la mort? — Commentez le vers 1424 : quel trait commun à beaucoup de personnages raciniens apparaît ici? — L'attitude de Bérénice pendant toute cette tirade : comment interpréter le *Hélas!* du vers 1423?

■ SUR L'ENSEMBLE DE LA SCÈNE VI. — Comparez l'attitude de l'empereur à ce qu'elle était dans la scène précédente : quel changement s'est produit en lui? Rapprochez également cette scène de la scène V de l'acte IV et de la scène IV de l'acte II : en quel sens a évolué le personnage de Titus?

— La fermeté de Titus est-elle comparable à celle d'un héros cornélien? En laissant prévoir son suicide si Bérénice ne cède pas, reste-t-il fidèle à la « gloire » dont il se réclame?

— Les sentiments de Bérénice pendant cette scène : quelles attitudes lui prêter pendant son long silence?

● VERS 1426-1429. S'attendait-on à revoir Antiochus après les paroles prononcées au vers 1302?

ANTIOCHUS

Je crois tout : je vous connais[1] tous deux.
Mais connaissez vous-même un prince malheureux.
Vous m'avez honoré, Seigneur, de votre estime;
Et moi, je puis ici vous le jurer sans crime,
A vos plus chers amis j'ai disputé ce rang;
Je l'ai disputé même aux dépens de mon sang[2].
Vous m'avez, malgré moi, confié l'un et l'autre,
La reine son amour, et vous, Seigneur, le vôtre.
La reine, qui m'entend, peut me désavouer[3];
Elle m'a vu toujours, ardent à vous louer,
Répondre par mes soins* à votre confidence[4].
Vous croyez m'en devoir quelque reconnaissance;
Mais le pourriez-vous croire, en ce moment fatal*,
Qu'un ami si fidèle était votre rival?

TITUS

Mon rival!

ANTIOCHUS

Il est temps que je vous éclaircisse.
Oui, Seigneur, j'ai toujours adoré Bérénice.
Pour ne la plus aimer j'ai cent fois combattu.
Je n'ai pu l'oublier, au moins je me suis tu.
De votre changement la flatteuse[5] apparence
M'avait rendu tantôt quelque faible espérance.
Les larmes de la reine ont éteint cet espoir.
Ses yeux, baignés de pleurs, demandaient à vous voir :
Je suis venu, Seigneur, vous appeler moi-même;
Vous êtes revenu. Vous aimez, on vous aime;

---

1. Je connais vos sentiments; **2.** Allusion à ses exploits militaires dans la campagne de Judée (v. vers 105 et suivants); **3.** Déclarer qu'elle me désapprouve; **4.** *Confidence :* confiance; **5.** *Flatteuse :* agréable, mais fausse.

QUESTIONS

● VERS 1430-1442. Quel contresens Antiochus commet-il sur les paroles de Titus? Avouerait-il son amour s'il ne croyait pas Titus et Bérénice liés maintenant par une promesse de mariage? Le caractère chevaleresque et romanesque de son attitude : importance du vers 1435 pour la psychologie d'Antiochus.

● VERS 1443. Quel sentiment prend brusquement naissance ici chez Titus? Peut-il encore songer à confier Bérénice à Antiochus? Comment se développe le quiproquo tragique?

Phot. Lipnitzki.

« Arrêtez, arrêtez. Princes trop généreux,
En quelle extrémité me jetez-vous tous deux! » (Vers 1469-1470.)

BÉRÉNICE À LA COMÉDIE-FRANÇAISE EN 1960

Antiochus (J. Destoop), Bérénice (Renée Faure), Titus (A. Falcon).

Vous vous êtes rendu : je n'en ai point douté.
Pour la dernière fois je me suis consulté,
J'ai fait de mon courage une épreuve dernière.
Je viens de rappeler ma raison tout entière[1] :
Jamais je ne me suis senti plus amoureux.
Il faut d'autres efforts pour rompre tant de nœuds;
Ce n'est qu'en expirant que je puis les détruire;
J'y cours. Voilà de quoi j'ai voulu vous instruire.
Oui, Madame, vers vous j'ai rappelé ses pas :
Mes soins* ont réussi, je ne m'en repens pas.
Puisse le ciel verser sur toutes vos années
Mille prospérités l'une à l'autre enchaînées!
Ou, s'il vous garde encore un reste de courroux,
Je conjure les dieux d'épuiser tous les coups
Qui pourraient menacer une si belle vie
Sur ces jours malheureux que je vous sacrifie.

BÉRÉNICE, *se levant.*

Arrêtez, arrêtez[2]. Princes trop généreux*,
En quelle extrémité me jetez-vous tous deux!
Soit que je vous regarde ou que je l'envisage[3],
Partout du désespoir je rencontre l'image.
Je ne vois que des pleurs, et je n'entends parler
Que de trouble*, d'horreurs, de sang prêt à couler.

---

1. J'ai rassemblé tout ce que je pouvais avoir de raison (v. vers 483); **2.** Elle s'adresse à Antiochus, qui s'apprête à sortir; **3.** Ou que je regarde le visage de Titus (sens propre du verbe).

QUESTIONS

● Vers 1443-1468. Composition de la tirade. — Le projet de suicide d'Antiochus est-il nouveau (voir notamment la scène IV de l'acte V)? Sur quel ton parle-t-il maintenant de sa mort prochaine? Qu'y a-t-il de changé dans la façon dont il envisage maintenant son destin? — Montrez que les vers 1446-1453 et 1481-1482 résument la tragédie telle qu'Antiochus l'a vécue. A quels moments de l'action font allusion les vers 1447-1448 et 1451? Pourquoi Antiochus reste-t-il persuadé qu'un parfait accord unit Bérénice et Titus? — A la fin de cette tirade, quelle est la situation réciproque des trois personnages? à quoi chacun d'eux est-il décidé?

● Vers 1469-1474. Pourquoi Bérénice intervient-elle maintenant alors qu'elle n'avait laissé échapper qu'un *Hélas!* après la tirade de Titus (vers 1423)? Faut-il en conclure qu'elle est plus sensible au sacrifice d'Antiochus qu'au désespoir de Titus? Montrez que c'est non par raison mais par sentiment qu'elle se détermine.

(A Titus.)

Mon cœur vous est connu, Seigneur, et je puis dire
Qu'on ne l'a jamais vu soupirer pour l'empire.
La grandeur des Romains, la pourpre des Césars
N'ont point, vous le savez, attiré mes regards.
J'aimais, Seigneur, j'aimais, je voulais être aimée.
Ce jour, je l'avouerai, je me suis alarmée :
J'ai cru que votre amour allait finir son cours.
Je connais[1] mon erreur, et vous m'aimez toujours.
Votre cœur s'est troublé*, j'ai vu couler vos larmes :
Bérénice, Seigneur, ne vaut point tant d'alarmes*,
Ni que[2] par votre amour l'univers malheureux,
Dans le temps que Titus attire tous ses vœux
Et que de vos vertus* il goûte les prémices[3],
Se voie en un moment enlever ses délices[4].
Je crois, depuis cinq ans jusqu'à ce dernier jour,
Vous avoir assuré d'un véritable amour.
Ce n'est pas tout : je veux, en ce moment funeste*,
Par un dernier effort couronner tout le reste :
Je vivrai, je suivrai vos ordres absolus.
Adieu, Seigneur. Régnez; je ne vous verrai plus.

(A Antiochus.)

Prince, après cet adieu, vous jugez bien vous-même
Que je ne consens pas de quitter ce que j'aime
Pour aller loin de Rome écouter d'autres vœux[5].
Vivez, et faites-vous[6] un effort généreux*.
Sur Titus et sur moi réglez votre conduite :
Je l'aime, je le fuis; Titus m'aime, il me quitte.
Portez loin de mes yeux vos soupirs* et vos fers[7].
Adieu. Servons tous trois d'exemple à l'univers
De l'amour[8] la plus tendre et la plus malheureuse

---

1. Je reconnais; 2. Proposition qui est aussi complément d'objet de *vaut;* 3. *Les prémices :* les premiers effets; 4. Utilisation habile de la formule de Suétone : « Titus, l'amour et les délices du genre humain » (*Titus,* I). Voir Documentation thématique; 5. *Vœux :* prières d'amour; 6. Sur vous-mêmes; 7. Voir note du vers 1401; 8. Voir note du vers 1191.

QUESTIONS

● Vers 1475-1494. Montrez que Bérénice a maintenant parfaitement compris Titus : relevez toutes les expressions destinées à donner une parfaite clarté à ses sentiments et à sa décision. Dans quelle mesure Bérénice cherche-t-elle à prouver qu'elle domine la situation? Laisse-t-elle percer son émotion?

Dont il puisse garder l'histoire douloureuse.
Tout est prêt. On m'attend. Ne suivez point mes pas.
(A Titus.)
Pour la dernière fois, adieu, Seigneur.

ANTIOCHUS

Hélas!

QUESTIONS

● Vers 1495-1506. Les arguments de Bérénice sont-ils capables de convaincre Antiochus? — Pourquoi le dernier mot de la tragédie est-il réservé à Antiochus? — Comment interpréter le silence de Titus?

■ Sur l'ensemble de la scène vii. — Pourquoi Racine a-t-il retardé jusqu'à la dernière scène le moment où Antiochus révèle à Titus son amour pour Bérénice? Quel rebondissement cet aveu pourrait-il susciter dans l'action?

— La rapidité du dénouement : le revirement de Bérénice est-il inattendu? Comment se justifie-t-il sur le plan psychologique?

— Ce dénouement est-il comparable à un dénouement cornélien? Rapprochez cette scène de la scène v de l'acte V de la *Tite et Bérénice*, de Corneille (v. Documentation thématique).

■ Sur l'ensemble de l'acte V. — Le mouvement de l'acte : comment passe-t-on de l'agitation et du désarroi, qui, au début, prolongent l'acte IV, à la grandeur pathétique du dénouement?

— Le rôle de Titus : comparez ses sentiments et son attitude à ce qu'ils étaient à l'acte II et à l'acte IV. Comment se confirme en lui le sentiment de sa gloire?

— En quoi le dénouement de *Bérénice* est-il tragique, bien qu'il soit le seul dans toutes les tragédies de Racine à ne pas comporter de mort violente?

DOCUMENTATION THÉMATIQUE

réunie par la Rédaction des Nouveaux Classiques Larousse.

1. Les sources : Racine et Suétone.
2. Voltaire critique littéraire :
   - 2.1. Le sujet de la pièce;
   - 2.2. Commentaire de quelques vers;
   - 2.3. Conclusion.
3. Sur la reprise de *Bérénice* au Théâtre-Français (janvier 1844).
4. De la théorie aux œuvres :
   - 4.1. La *Tite* de Magnon;
   - 4.2. *Tite et Bérénice* de Corneille.
5. Au-delà des œuvres, deux conceptions de la tragédie :
   - 5.1. Nécessaire et vraisemblable;
   - 5.2. Amour et tragédie;
   - 5.3. Les nécessités du genre tragique;
   - 5.4. Tragi-comédie et tragédie à fin heureuse.

1. LES SOURCES : RACINE ET SUÉTONE

Racine cite, au début de la préface de *Bérénice,* la phrase de Suétone qui lui a inspiré sa tragédie. On trouvera ici quelques extraits du chapitre consacré par l'historien latin à Titus. On constatera que Racine s'est servi de quelques détails pour compléter la figure de Titus ; mais les allusions à son aventure avec Bérénice se bornent à la phrase citée par le poète.

La traduction est de H. Ailloud (Suétone, *Vies des douze Césars,* tome III, Ed. des Belles Lettres, Paris, 1957).

I. Titus, qui portait le même surnom que son père et fut appelé « l'amour et les délices du genre humain[1] » (tant il fut abondamment pourvu par son naturel, son savoir-faire ou la fortune des moyens de conquérir toutes les sympathies, et, chose plus difficile, après être devenu empereur, alors que, étant simple particulier et même sous le principat de son père, il ne fut pas à l'abri de la haine, encore bien moins du blâme public), naquit le troisième jour avant les calendes de janvier, l'année qui fut marquée par le meurtre de Gaius [Caligula], dans un logis misérable, voisin du Septizonium[2], dans une chambre très petite et sombre, qui existe et que l'on montre encore.

V. [...] Au dernier assaut de Jérusalem, il abattit douze défenseurs de la ville avec le même nombre de flèches[3], et la prit le jour anniversaire de la naissance de sa fille. La joie des soldats et leur amour pour lui étaient si vifs qu'en le félicitant ils le saluèrent « imperator » et que, peu de temps après, quand il quitta la province, ils cherchèrent à le retenir, lui demandant avec des supplications et même avec des menaces, de rester ou de les emmener avec lui. Aussi fut-il soupçonné d'avoir voulu se détacher de son père et se faire couronner roi de l'Orient[4] ; il accrut encore ce soupçon lorsque, dans sa marche vers Alexandrie, consacrant à Memphis le bœuf Apis, il se coiffa du diadème : c'était, à vrai dire, un usage et un rite de ce culte antique, mais il ne manquait pas de personnes pour interpréter le geste autrement. Aussi Titus, se hâtant de revenir en Italie, s'embarqua sur un navire marchand, fit escale à Régium, puis à Pouzzoles, d'où il se rendit précipitamment à Rome, et, voyant Vespasien surpris de son arrivée, lui dit, comme pour démentir les vaines rumeurs dont il avait été l'objet : « Me voici, mon père, me voici ! »

VI. Et, depuis lors, il ne cessa pas d'être l'auxiliaire et même le soutien de l'empereur. Il triompha en compagnie de son père, remplit avec lui les fonctions de censeur, fut son collègue dans l'exercice de la puissance tribunicienne et dans sept

---

1. Voir vers 1487 ; **2.** *Septizonium :* édifice à sept étages, dont on ignore quelle était exactement la place à Rome ; **3.** Sur la valeur militaire de Titus, voir vers 218-222 ; **4.** Voir vers 431.

consulats; il assuma presque toutes les charges du gouvernement, dictant lui-même des lettres au nom de son père, rédigeant ses édits, lisant même ses discours au sénat au lieu et place d'un questeur et, de plus, se chargea de la préfecture du prétoire qui, jusqu'alors, n'avait été confiée qu'à des chevaliers romains; dans ce poste, il eut une conduite beaucoup trop despotique et brutale, car, sitôt qu'un homme lui fut suspect, il soudoya des individus qui, dans les théâtres et au camp, réclamaient son supplice, soi-disant au nom de tous, et le fit exécuter sans scrupule [...].

VII. Outre sa cruauté, on appréhendait encore son intempérance parce qu'il se livrait, avec les plus prodigues de ses amis, à des orgies qui duraient jusqu'au milieu de la nuit; et non moins de son libertinage[1] [...], à cause de sa passion fameuse pour la reine Bérénice, à laquelle, disait-on, il avait même promis le mariage[2]; on appréhendait sa rapacité, parce qu'il était notoire qu'il avait coutume de vendre la justice et de s'assurer des profits dans les affaires jugées par son père; enfin tous le considéraient et le représentaient comme un autre Néron. Mais cette mauvaise renommée tourna à son avantage et fit place aux plus grands éloges quand on ne découvrit en lui aucun vice, et, tout au contraire, les plus rares vertus[3]. Il se mit à donner des festins agréables plutôt que dispendieux. Il sut choisir des amis auxquels ses successeurs eux-mêmes accordèrent toute leur confiance et leur faveur, jugeant qu'ils leur étaient indispensables, aussi bien qu'à l'Etat. Quant à Bérénice, il la renvoya aussitôt loin de Rome, malgré lui et malgré elle.

VIII. [...] Un soir, même, à table, se rappelant que, pendant tout le jour, il n'avait accordé de bienfait à personne, il prononça cette parole mémorable, que l'on célèbre avec raison : « Mes amis, j'ai perdu ma journée[4]. »

X. [...] Après la clôture d'un spectacle, à la fin duquel il avait pleuré abondamment en présence du peuple[5], il partit pour le pays des Sabins encore beaucoup plus triste parce que la victime s'était enfuie au moment où il allait sacrifier, et qu'il avait tonné par un temps serein. Il fut ensuite pris par la fièvre dès la première étape, et, tandis qu'il poursuivait sa route en litière, ayant fait écarter les mantelets, il leva, dit-on, les yeux vers le ciel et se plaignit que la vie lui fût enlevée, malgré son innocence; car — ajouta-t-il — aucun de ses actes ne lui faisait de remords, à l'exception d'un seul. Quel était cet acte? Lui-même ne le révéla pas, et nul ne pouvait le deviner facilement[6]. Quelques-uns estiment qu'il songeait à des

1. Voir vers 504-508; **2.** C'est le problème qui est au centre de la tragédie; **3.** Voir vers 1223; **4.** Voir vers 1038; **5.** Voir vers 1154 et la note; **6.** On voit le parti que l'imagination du poète a pu tirer de ce détail; pourquoi ne pas supposer que ce regret mystérieux était né du départ de Bérénice?

relations criminelles entretenues par lui avec la femme de son frère, mais Domitia jurait solennellement qu'elle n'avait eu aucune liaison avec lui ; or, s'il s'était passé entre eux la moindre chose, bien loin de le nier, elle s'en serait même vantée, comme elle s'empressait de le faire pour tous ses débordements.

Quels sont les traits retenus par le poète pour créer son héros ? Vous tenterez de comparer la manière dont Racine utilise ses sources en vous reportant à *Britannicus.*

2. VOLTAIRE CRITIQUE LITTÉRAIRE

Grand admirateur de Racine, Voltaire a publié des *Remarques sur « Bérénice »* tout comme il avait publié des *Remarques sur Corneille.* Souvent fort pertinentes, ses annotations témoignent d'un goût très « classique », parfois fort en retard sur celui de son siècle. Nous en donnons quelques-unes que nous avons jugées particulièrement aptes à fournir matière à une réflexion plus poussée sur certains aspects de la pièce.

2.1. LE SUJET DE LA PIÈCE

Un amant et une maîtresse qui se quittent ne sont pas sans doute un sujet de tragédie. Si l'on avait proposé un tel plan à Sophocle ou à Euripide, ils l'auraient renvoyé à Aristophane. L'amour qui n'est qu'amour, qui n'est point une passion terrible et funeste, ne semble fait que pour la comédie, pour la pastorale ou pour l'églogue. [...] Cet ouvrage dramatique, qui n'est peut-être pas une tragédie, a toujours excité les applaudissements les plus vrais : ce sont les larmes.

En comparant la pièce de Racine à d'autres tragédies vous tenterez d'expliquer le jugement de Voltaire. La conclusion vous paraît-elle acceptable ? Justifiez votre point de vue.

2.2. COMMENTAIRE DE QUELQUES VERS

◆ *Le vers 8.* Ce détail n'est point inutile : il faut voir clairement combien l'unité de lieu est observée. Il met le spectateur au fait tout d'un coup. On pourrait dire que la *pompe de ces lieux* et ce *cabinet superbe* paraissent des expressions peu convenables à un prince. [...] J'ai toujours remarqué que la douceur des vers empêchait qu'on ne remarquât ce défaut.

◆ *Le vers 202.*

Ce vers et les suivants n'ont pas le mérite qu'on a remarqué dans les notes précédentes. Un roi dont *les pleurs et les soupirs suivent en tous lieux* une reine amoureuse d'un autre, est là un fade personnage, qui exprime en vers faibles et lâches un amour un peu ridicule. Si la pièce était écrite de ce ton, elle ne serait qu'une très faible idylle en dialogues. Plus le héros qu'on fait parler est dans une position désagréable et indigne d'un héros, plus il faut s'étudier à relever, par la beauté du style, la faiblesse du fond. Le rôle d'Antiochus ne peut avoir rien de tragique : mettez-y donc plus de noblesse, plus de chaleur, et plus d'intérêt, s'il est possible. En général, les déclarations d'amour, les maximes d'amour sont faites pour la comédie. Les déclarations de Xipharès, d'Hippolyte, d'Antiochus sont de la galanterie, et rien de plus : ces morceaux se sentent du goût dominant qui régnait alors.

Montrez en quoi le vocabulaire de certains personnages de la tragédie classique est représentatif du siècle classique. La remarque n'est-elle pas valable pour les autres périodes de l'histoire littéraire ?

◆ *Le vers 421.*

Il y a dans presque toutes les pièces de Racine de ces naïvetés puériles, et ce sont presque toujours les confidents qui les disent. Les critiques en prirent prétexte de donner du ridicule au seul nom de Paulin, qui fut longtemps un terme de mépris. Racine eût mieux fait, d'ailleurs, de choisir un autre confident et de ne point le nommer d'un nom français, tandis qu'il laisse à Titus son nom latin. Ce qui est bien plus digne de remarque, c'est que les railleurs sont toujours injustes. S'ils relevèrent les mauvais vers qui échappent à Paulin, ils oublièrent qu'il en débite beaucoup d'excellents. Ces railleurs s'épuisèrent sur la *Bérénice* de Racine dont ils sentaient l'extrême mérite dans le fond de leur cœur. Ils ne disaient rien de celle de Corneille, qui était déjà oubliée; mais ils opposaient l'ancien mérite de Corneille au mérite présent de Racine.

◆ *Le vers 916.*

Voilà le caractère de la passion. Bérénice vient de flatter tout à l'heure Antiochus pour savoir son secret; elle lui a dit

Si jamais je vous fus chère, parlez !

Elle l'a menacé de sa haine s'il garde le silence; et dès qu'il a parlé elle lui ordonne de ne jamais paraître devant elle. Ces flatteries, ces emportements font un effet très intéressant dans la bouche d'une femme. Ils ne toucheraient pas ainsi dans un homme. Tous ces symptômes de l'amour sont le partage des amants. Presque toutes les héroïnes de Racine étalent des sentiments de tendresse, de jalousie, de colère, de fureur; tantôt soumises, tantôt désespérées. C'est avec raison qu'on a nommé Racine le poète des femmes. Ce n'est pas là du vrai tragique, mais c'est la beauté que le sujet comportait.

Etablissez le caractère type de l'héroïne racinienne d'après les grandes tragédies que vous connaissez. Comparez-la à l'héroïne cornélienne type. Laquelle des deux vous paraît la plus tragique ? pourquoi ?

2.3. CONCLUSION

Je n'ai rien à dire de ce cinquième acte, sinon que c'est en son genre un chef-d'œuvre, et qu'en le relisant avec des yeux sévères je suis encore étonné qu'on ait pu tirer des choses si touchantes d'une situation qui est toujours la même ; qu'on ait trouvé encore de quoi attendrir, quand on paraît avoir tout dit ; que même tout paraisse neuf dans ce dernier acte, qui n'est que le résumé des quatre précédents. Le mérite est égal à la difficulté, et cette difficulté était extrême. On peut être un peu choqué qu'une pièce finisse par un *hélas!* Il fallait être sûr de s'être rendu maître du cœur des spectateurs pour oser finir ainsi. Voilà, sans contredit, la plus faible des tragédies de Racine qui sont restées au théâtre. Ce n'est pas même une tragédie. Mais que de beautés de détail, et quel charme inexprimable règne presque toujours dans la diction ! Pardonnons à Corneille de n'avoir jamais connu ni cette pureté ni cette élégance. Mais comment se peut-il faire que personne, depuis Racine, n'ait approché de ce style enchanteur ? Est-ce un don de la nature ? Est-ce le fruit d'un travail assidu ? C'est l'effet de l'un et de l'autre. Il n'est pas étonnant que personne ne soit arrivé à ce point de perfection ; mais il l'est que le public ait depuis applaudi avec transport à des pièces qui à peine étaient écrites en français, dans lesquelles il n'y avait ni connaissance du cœur humain, ni bon sens ni poésie : c'est que des situations séduisent ; c'est que le goût est très rare. Il en a été de même dans d'autres arts. En vain on a devant les yeux des Raphaël, des Titien, des Paul Véronèse : des peintres médiocres usurpent après eux de la réputation, et il n'y a que les connaisseurs qui fixent à la longue le mérite des ouvrages.

3. SUR LA REPRISE DE *BÉRÉNICE* AU THÉÂTRE-FRANÇAIS (JANVIER 1844)

Tel est le titre d'un long article de Sainte-Beuve, recueilli plus tard dans les *Portraits littéraires*. L'intérêt de ces pages réside dans la vision de la pièce par une génération formée dans le goût du drame romantique. On notera la subtilité de la critique, qui va au fond des personnages (contrairement à l'analyse de Voltaire, qui reste plus en surface).

[Le critique vient de citer les paroles de Titus lors de sa dernière entrevue avec la reine.]

Voilà le langage d'une grande âme à celle qui peut l'entendre. Ainsi c'est l'amour même, dans sa religieuse délicatesse, qui s'oppose au bonheur de l'amour. Jean-Jacques n'a pas craint de soutenir que Titus serait plus intéressant s'il sacrifiait l'empire à l'amour, et s'il allait vivre avec Bérénice dans quelque coin du monde, après avoir pris congé des Romains : *une chaumière et son cœur!* Geoffroy remarque avec raison que Titus serait sifflé, s'il agissait ainsi au théâtre, « et Rousseau, ajoute-t-il, mérite de l'être pour avoir consigné cette opinion dans un livre de philosophie ». Tout se tient en morale : c'est pour n'avoir pas senti cette délicatesse particulière, cette religion de dignité et d'honneur qui enchaîne Titus, que Jean-Jacques a gâté certaines de ses plus belles pages par je ne sais quoi de choquant et de vulgaire qui se retrouve dans sa vie, et que l'amant de Mme de Warens, le mari de Thérèse, n'a pas résisté à nous retracer complaisamment des situations dignes d'oubli.

Il faut qu'il y ait beaucoup de science dans la contexture de *Bérénice* pour qu'une action aussi simple puisse suffire à cinq actes, et qu'on ne s'aperçoive du peu d'incidents qu'à la réflexion. Chaque acte est, à peu de chose près, le même qui recommence; un des amoureux, dès qu'il est trop en peine, fait chercher l'autre :

> A-t-on vu de ma part le roi de Comagène?

Quand un plus long discours hâterait trop l'action, on s'arrête, on sort sans s'expliquer, dans un trouble involontaire :

> Quoi? me quitter si tôt! et ne me dire rien!
>
> . . . .
>
> Qu'ai-je fait? que veut-il? et que dit ce silence?

Ce qui est d'un art infini, c'est que ces petits ressorts qui font aller la pièce et en établissent l'économie concordent parfaitement et se confondent avec les plus secrets ressorts de l'âme dans de pareilles situations. L'utilité ne se distingue pas de la vérité même. De loin il est difficile d'apercevoir dans *Bérénice* cette sorte d'architecture tragique qui fait que telle scène se dessine hautement et se détache au regard. La grande scène voulue au troisième acte ne produit point ici de péripétie proprement dite, car nous savons tout dès le second acte, et il n'eût tenu qu'à Bérénice de le comprendre comme nous. J'ai vu deux fois la pièce, et à ne consulter que mon souvenir, sans recourir au volume, il m'est presque impossible de distinguer nettement un acte de l'autre par quelque scène bien tranchée. S'il fallait exprimer l'ordre de structure employé ici, je dirais que c'est simplement une longue galerie en cinq appartements ou compartiments, et le tout revêtu de peintures et de tapisseries si attrayantes au regard qu'on passe insensiblement de l'une à l'autre sans trop se rendre compte du chemin. Cette nature d'intérêt, ce me semble, doit suffire; on ne sent jamais d'intervalle ni de pause. Racine a eu droit de rappeler en sa préface que la véritable invention consiste à faire quelque chose de rien; ici ce *rien,* c'est tout simplement le cœur humain, dont il a traduit les moindres mouvements et développé les alternatives inépuisables. La lutte du cœur plutôt que celle des faits, tel est en général le champ de la tragédie française en son beau moment, et voilà pourquoi elle fait surtout l'éloge, à mon sens, du goût de la société qui savait s'y plaire.

L'idée de reprendre *Bérénice* devait venir du moment que Mlle Rachel était là, et qu'à défaut de rôles modernes elle continuait à nous rendre tant de ces douces émotions d'une scène qui élève et ennoblit. Si redonner de la nouveauté à Racine était une conquête, il ne fallait pas craindre d'aller jusqu'au bout, et, après avoir fait son entrée dans ces grands rôles qui sont comme les capitales de l'empire, il y avait à se loger encore plus au cœur : *Bérénice,* quand il s'agit de Racine, c'est comme la maison de plaisance favorite du maître. Mlle Rachel a complètement réussi. Les difficultés du rôle étaient réelles : Bérénice est un personnage tendre, le plus racinien possible, le plus opposé aux héroïnes et aux *adorables furies* de Corneille; c'est une élégie. Mlle Gaussin y avait surtout triomphé à l'aide d'une mélodie perpétuelle et de cette musique, de ces *larmes dans la voix,* dont l'expression a d'abord été trouvée pour elle par La Harpe lui-même. Après *Ariane,* après *Phèdre,* Mlle Rachel nous avait accoutumés à tout attendre, et à ne pas élever d'avance les objections. Ce qui me frappe en elle, si j'osais me permettre de la juger d'un mot, ce n'est pas seulement qu'elle soit une grande actrice, c'est combien elle est une personne distinguée. Le monde tout d'abord ne s'y est pas mépris, et il l'a surtout adoptée à ce titre de distinction d'esprit et d'intelligence. Elle est née telle. Ce caractère se retrouve à chaque instant dans ses rôles; elle les choisit, elle les compose, elle les proportionne à son usage, à ses moyens physiques. Avec tous les dons qu'elle a reçus, si sur quelque point il pouvait y avoir défaut, l'intelligence supérieure intervient à temps et achève. Ainsi a-t-elle fait pour Bérénice. Un organe pur, encore vibrant et à la fois attendri, un naturel, une beauté continue de diction, une décence tout antique de pose, de gestes, de draperies, ce goût suprême et discret qui ne cesse d'accompagner certains fronts vraiment nés pour le diadème, ce sont là des traits charmants sous lesquels Bérénice nous est apparue; et lorsqu'au dernier acte, pendant le grand discours de Titus, elle reste appuyée sur le bras du fauteuil, la tête comme abîmée de douleur, puis lorsqu'à la fin elle se relève lentement, au débat des deux princes, et prend, elle aussi, sa résolution magnanime, la majesté tragique se retrouve alors, se déclare autant qu'il sied et comme l'a entendu le poète ; l'idéal de la situation est devant nous. — Beauvallet, on lui doit cette justice, a fort bien rendu le rôle de Titus ; de son organe accentué, trop accentué, on le sait, il a du moins marqué le coin essentiel du rôle et maintenu le côté toujours présent de la dignité impériale. Quant à l'Antiochus, il est suffisant. Ainsi pour conclure, nous devons à Mlle Rachel non seulement le plaisir, mais aussi l'honneur d'avoir goûté *Bérénice*, et il ne tient qu'à nous, grâce à elle, de nous donner pour plus amateurs de la belle et classique poésie en 1844.

Comment Sainte-Beuve voit-il le personnage de Bérénice et comment en cherche-t-il l'expression dans l'art de Racine ?

4. DE LA THÉORIE AUX ŒUVRES

4.1. LA *TITE* DE MAGNON

Tragi-comédie qui ne fut jamais représentée, mais que son auteur publia en 1660, elle fait partie de toute cette lignée de pièces dans lesquelles se mêlent assez malheureusement le tragique et le romanesque. Ainsi en est-il de *Tite*.

Bérénice arrive secrètement dans le palais de Titus, déguisée en homme. Elle se fait passer pour Cléobule, prince espagnol vivant en exil, et devient le favori de l'empereur, qui décide de lui faire épouser Mucie à laquelle le sénat voudrait le marier.

Antoine, amoureux de Mucie, soulève Rome contre Cléobule, qui, assiégé, quitte son déguisement pour reprendre les traits féminins de la reine de Judée. Elle harangue la foule venue la tuer. Ce sont ses paroles qu'Antoine vient rapporter à Titus dans la scène suivante.

ACTE V, scène IV

ANTOINE

« Romains, a-t-elle dit, vous voyez une Reine
» Pour qui votre grandeur eut toujours tant de haine ;
» Plusieurs rois par votre ordre ont été mis à mort,
» Jamais reine avant moi n'avait couru ce sort ;
» Ainsi votre bonheur s'en voit présenter une,
» Mais plus par mon amour que par votre fortune.
» Il est vrai qu'ayant place entre les potentats
» J'ai vu mon propre amant m'enlever mes Etats ;
» En cela la Fortune autorisant mes maîtres,
» Pour un comble de maux m'a laissée à des traîtres ;
» Et pouvant enchérir sur mes premiers revers

» Me rendit le mépris de tout cet univers.
» Le croyez-vous, Romains, par Tite délaissée,
» Je suis de mon pays par mes sujets chassée ;
» Et tant mon mauvais sort me traite avec rigueur
» Je souffre des vaincus bien mieux que des vainqueurs.
» Ainsi j'ai présumé que sous l'habit d'un homme
» Je pourrais rencontrer quelque asile dans Rome,
» Et malgré les transports où vous vous êtes mis
» Que vous ne seriez pas mes plus grands ennemis. »
A ces mots, des Romains l'étonnement redouble,
Son sort et sa beauté font à l'envi ce trouble,
Et par un mouvement de culte et de pitié
Leur tendresse succède à leur inimitié.
Ces hommes indomptés mettent tous bas leurs armes,
Eux qui voulaient son sang lui présentent leurs larmes ;
Et ce doux sacrifice à la face des Dieux
Punit leurs vœux sanglants par le sang de leurs yeux.
Enfin Rome, Seigneur, cesse d'être si vaine,
Cette reine des rois le cède à votre Reine
Et Bérénice a fait avec ses seuls regards
Ce que n'a pu l'amour du plus grand des Césars.

Finalement, tout rentre dans l'ordre : Tite épousera Bérénice, et Antoine Mucie. L'empereur prononcera des paroles d'apaisement à la fin de la pièce :

Cependant donnons ordre à ce double hyménée,
Célébrons à l'envi cette illustre journée,
Et d'un Prince que j'aime agréant le retour,
Rendons la paix à Rome et le calme à ma cour.

Le dramaturge s'est ici éloigné de l'histoire : quelles raisons l'ont conduit à déguiser ainsi ses personnages ? Pourquoi la pièce a-t-elle un dénouement heureux ? Comparez avec la fin du *Cid*.

4.2. *TITE ET BÉRÉNICE* DE CORNEILLE

On se reportera pour l'analyse comparée des schémas des deux tragédies au tableau des pages 12 à 15.
A côté de l'élégie racinienne, Corneille a créé un drame politique et passionnel dans lequel se reconnaît bien la trame si familière à l'auteur de héros magnanimes.
Nous donnerons d'abord la première scène de la pièce, qui éclaire la tentative dramatique de Corneille et permet de l'opposer dès l'abord à la tragédie de Racine.
Domitie s'entretient avec sa confidente. On notera qu'il s'agit là d'un procédé habituel dans la tragédie classique, et en particulier chez Corneille. On s'interrogera sur le rôle du confident dans le système tragique français.

Voici le texte intégral de la scène v de l'acte III. A l'acte précédent, la brusque arrivée de Bérénice a plongé Titus dans le désarroi, alors qu'il est sur le point d'épouser Domitie, et il n'a adressé à la reine que quelques mots qui semblaient exprimer une profonde indifférence. Au début de l'acte III, Titus a ordonné à son frère Domitian de prétendre à la main de Bérénice. Telle est la situation quand a lieu cette deuxième entrevue.

Scène v

TITE, BÉRÉNICE, FLAVIAN, PHILON

BÉRÉNICE

Me cherchez-vous, Seigneur, après m'avoir chassée?

TITE

Vous avez su mieux lire au fond de ma pensée,
Madame; et votre cœur connaît assez le mien
Pour me justifier sans que j'explique rien.

BÉRÉNICE

Mais justifiera-t-il le don qu'il vous plaît faire
De ma propre personne au prince votre frère?
Et n'est-ce point assez de me manquer de foi,
Sans prendre encor le droit de disposer de moi?
Pouvez-vous jusque-là me bannir de votre âme?
Le pouvez-vous, Seigneur?

TITE

Le croyez-vous, Madame?

BÉRÉNICE

Hélas! que j'ai de peur de vous dire que non!
J'ai voulu vous haïr dès que j'ai su ce don :
Mais à de tels courroux l'âme en vain se confie;
A peine je vous vois que je vous justifie.
Vous me manquez de foi, vous me donnez, chassez.
Que de crimes! Un mot les a tous effacés.
Faut-il, Seigneur, faut-il que je ne vous accuse
Que pour dire aussitôt que c'est moi qui m'abuse,
Que pour me voir forcée à répondre pour vous!
Epargnez cette honte à mon dépit jaloux;
Sauvez-moi du désordre où ma bonté m'expose,
Et du moins par pitié dites-moi quelque chose;
Accusez-moi plutôt, Seigneur, à votre tour,
Et m'imputez pour crime un trop parfait amour.

Vos chimères d'Etat, vos indignes scrupules,
Ne pourront-ils jamais passer pour ridicules?
En souffrez-vous encor la tyrannique loi?
Ont-ils encor sur vous plus de pouvoir que moi?
Du bonheur de vous voir j'ai l'âme si ravie,
Que pour peu qu'il durât, j'oublierais Domitie.
Pourrez-vous l'épouser dans quatre jours? O cieux!
Dans quatre jours! Seigneur, y voudrez-vous mes yeux?
Vous plairez-vous à voir qu'en triomphe menée,
Je serve de victime à ce grand hyménée;
Que traînée avec pompe aux marches de l'autel,
J'aille de votre main attendre un coup mortel?
M'y verrez-vous mourir sans verser une larme?
Vous y préparez-vous sans trouble et sans alarme?
Et si vous concevez l'excès de ma douleur,
N'en rejaillit-il rien jusque dans votre cœur?

TITE

Hélas! Madame, hélas! pourquoi vous ai-je vue?
Et dans quel contretemps êtes-vous revenue!
Ce qu'on fit d'injustice à de si chers appas
M'avait assez coûté pour ne l'envier pas.
Votre absence et le temps m'avaient fait quelque grâce;
J'en craignais un peu moins les malheurs où je passe;
Je souffrais Domitie, et d'assidus efforts
M'avaient, malgré l'amour, fait maître du dehors.
La contrainte semblait tourner en habitude;
Le joug que je prenais m'en paraissait moins rude;
Et j'allais être heureux, du moins aux yeux de tous,
Autant qu'on le peut être en n'étant point à vous.
J'allais...

BÉRÉNICE

N'achevez point, c'est là ce qui me tue.
Et je pourrais souffrir votre hymen à ma vue,
Si vous aviez choisi quelque objet sans éclat,
Qui ne pût être à vous que par raison d'Etat,
Qui de ses grands aïeux n'eût reçu rien d'aimable,
Qui n'en eût que le nom qui fût considérable.
« Il s'est assez puni de son manque de foi,
Me dirais-je, et son cœur n'en est pas moins à moi. »
Mais Domitie est belle, elle a tout l'avantage
Qu'ajoute un vrai mérite à l'éclat du visage;
Et pour vous épargner les discours superflus,
Elle est digne de vous, si vous ne m'aimez plus.
Elle a toujours charmé le prince, votre frère,
Elle a gagné sur vous de ne vous plus déplaire :
L'hymen achèvera de me faire oublier;

Elle aura votre cœur, et l'aura tout entier.
Seigneur, faites-moi grâce : épousez Sulpitie,
Ou Camille, ou Sabine, et non pas Domitie;
Choisissez-en quelqu'une enfin dont le bonheur
Ne m'ôte que la main, et me laisse le cœur.

TITE

Domitie aisément souffrirait ce partage;
Ma main satisferait l'orgueil de son courage;
Et pour le cœur, à peine il vous sait en ces lieux,
Qu'il revient tout entier faire hommage à vos yeux.

BÉRÉNICE

N'importe : ayez pitié, Seigneur, de ma faiblesse.
Vous avez un cœur fait à changer de maîtresse;
Vous ne savez que trop l'art de manquer de foi :
Ne l'exercerez-vous jamais que contre moi?

TITE

Domitie est le choix de Rome et de mon père :
Ils crurent à propos de l'ôter à mon frère,
De crainte que ce cœur jeune et présomptueux
Ne rendît téméraire un prince impétueux.
Si pour vous obéir je lui suis infidèle,
Rome, qui l'a choisie, y consentira-t-elle?

BÉRÉNICE

Quoi? Rome ne veut pas quand vous avez voulu?
Que faites-vous, Seigneur, du pouvoir absolu?
N'êtes-vous dans ce trône, où tant de monde aspire,
Que pour assujettir l'Empereur à l'empire?
Sur ses plus hauts degrés Rome vous fait la loi!
Elle affermit ou rompt le don de votre foi!
Ah! si j'en puis juger sur ce qu'on voit paraître,
Vous en êtes l'esclave encor plus que le maître.

TITE

Tel est le triste sort de ce rang souverain,
Qui ne dispense pas d'avoir un cœur romain;
Ou plutôt des Romains tel est le dur caprice
A suivre obstinément une aveugle injustice,
Qui rejetant d'un roi le nom plus que les lois,
Accepte un empereur plus puissant que cent rois.
C'est ce nom seul qui donne à leurs farouches haines
Cette invincible horreur qui passe jusqu'aux reines,
Jusques à leurs époux; et vos yeux adorés

Verraient de notre hymen naître cent conjurés.
Encor s'il n'y fallait hasarder que ma vie;
Si ma perte aussitôt de la vôtre suivie...

BÉRÉNICE

Non, Seigneur, ce n'est pas aux reines comme moi
A hasarder leurs jours pour signaler leur foi.
La plus illustre ardeur de périr l'un pour l'autre
N'a rien de glorieux pour mon rang et le vôtre :
L'amour de nos pareils la traite de fureur,
Et ces vertus d'amant ne sont pas d'empereur.
Mes secours en Judée achevèrent l'ouvrage
Qu'avait des légions ébauché le suffrage :
Il m'est trop précieux pour le mettre au hasard;
Et j'y pouvais, Seigneur, mériter quelque part,
N'était qu'affermissant votre heureuse fortune,
Je n'ai fait qu'empêcher qu'elle nous fût commune.
Si j'eusse eu moins pour elle ou de zèle ou de foi,
Vous seriez moins puissant, mais vous seriez à moi;
Vous n'auriez que le nom de général d'armée,
Mais j'aurais pour époux l'amant qui m'a charmée;
Et je posséderais dans ma cour, en repos,
Au lieu d'un empereur, le plus grand des héros.

TITE

Eh bien! Madame, il faut renoncer à ce titre,
Qui de toute la terre en vain me fait l'arbitre.
Allons dans vos Etats m'en donner un plus doux;
Ma gloire la plus haute est celle d'être à vous.
Allons où je n'aurai que vous pour souveraine,
Où vos bras amoureux seront ma seule chaîne,
Où l'hymen en triomphe à jamais l'étreindra;
Et soit de Rome esclave et maître qui voudra!

BÉRÉNICE

Il n'est plus temps : ce nom, si sujet à l'envie,
Ne se quitte jamais, Seigneur, qu'avec la vie;
Et des nouveaux Césars la tremblante fierté
N'ose faire de grâce à ceux qui l'ont porté :
Qui l'a pris une fois est toujours punissable.
Ce fut par là qu'Othon se traita de coupable,
Par là Vitellius mérita le trépas;
Et vous n'auriez partout qu'assassins sur vos pas.

TITE

Que faire donc, Madame?

BÉRÉNICE

Assurer votre vie;
Et s'il y faut enfin la main de Domitie...
Mais adieu : sur ce point si vous pouvez douter,
Ce n'est pas moi, Seigneur, qu'il en faut consulter.

TITE, *à Bérénice qui se retire.*

Non, Madame; et dût-il m'en coûter trône et vie,
Vous ne me verrez point épouser Domitie.
Ciel, si vous ne voulez qu'elle règne en ces lieux,
Que vous m'êtes cruel de la rendre à mes yeux!

Voici maintenant un important fragment de la dernière scène (acte V, scène v). Alors que Bérénice craignait de se voir exilée par ordre du sénat, Domitian annonce que le sénat et le peuple romain sont d'accord pour autoriser le mariage de Titus et de Bérénice.

DOMITIAN

[...]
D'une commune voix Rome adopte la reine,
Et le peuple à grands cris montre sa passion
De voir un plein effet de cette adoption.

TITE

Madame...

BÉRÉNICE

Permettez, Seigneur, que je prévienne
Ce que peut votre flamme accorder à la mienne.
Grâce au juste ciel, ma gloire en sûreté
N'a plus à redouter aucune indignité.
J'éprouve du sénat l'amour et la justice,
Et n'ai qu'à le vouloir pour être impératrice.
Je n'abuserai point d'un surprenant respect,
Qui semble un peu bien prompt pour n'être point suspect
Souvent on se dédit de tant de complaisance,
Non que vous ne puissiez en fixer l'inconstance.
Si nous avons trop vu ses flux et ses reflux
Pour Galba, pour Othon et pour Vitellius,
Rome, dont aujourd'hui vous êtes les délices,
N'aura jamais pour vous ces insolents caprices;
Mais aussi cet amour qu'a pour vous l'univers
Ne vous peut garantir des ennemis couverts.
Un million de bras a beau garder un maître,
Un million de bras ne pare point d'un traître;
Il n'en faut qu'un pour perdre un prince aimé de tous,
Il n'y faut qu'un brutal qui me haïsse en vous;
Aux zèles indiscrets tout paraît légitime,

Et la fausse vertu se fait l'honneur du crime.
Rome a sauvé ma gloire en me donnant sa voix,
Sauvons-lui, vous et moi, la gloire de ses lois;
Rendons-lui, vous et moi, cette reconnaissance
D'en avoir, pour vous plaire, affaibli la puissance,
De l'avoir immolée à vos plus doux souhaits.
On nous aime, faisons qu'on nous aime à jamais.
D'autres sur votre exemple épouseraient des reines
Qui n'auraient pas, Seigneur, des âmes si romaines,
Et lui feraient peut-être avec trop de raison
Haïr votre mémoire, et détester mon nom.
Un refus généreux de tant de déférence
Contre tous ces périls nous met en assurance.

TITE

Le ciel de ces périls saura trop nous garder.

BÉRÉNICE

Je les vois de trop près pour vous y hasarder.

TITE

Quand Rome vous appelle à la hauteur suprême...

BÉRÉNICE

Jamais un tendre amour n'expose ce qu'il aime.

TITE

Mais, Madame, tout cède, et nos vœux exaucés...

BÉRÉNICE

Votre cœur est à moi, j'y règne; c'est assez.

TITE

Malgré les vœux publics refuser d'être heureuse,
C'est plus craindre qu'aimer.

BÉRÉNICE

La crainte est amoureuse.
Ne me renvoyez pas, mais laissez-moi partir,
Ma gloire ne peut croître, et peut se démentir.
Elle passe aujourd'hui celle du plus grand homme,
Puisqu'enfin je triomphe, et dans Rome, et de Rome,
J'y vois à mes genoux le peuple et le sénat;
Plus j'y craignais de honte, et plus j'y prends d'éclat;
J'y tremblais sous la haine, et la laisse impuissante;
J'y rentrais exilée, et j'en sors triomphante.

TITE

L'amour peut-il se faire une si dure loi?

BÉRÉNICE

La raison me la fait, malgré vous, malgré moi,
Si je vous en croyais, si je voulais m'en croire,
Nous pourrions vivre heureux, mais avec moins de gloire.
Epousez Domitie : il ne m'importe plus
Qui vous enrichissiez d'un si noble refus.
C'est à force d'amour que je m'arrache au vôtre;
Et je serais à vous, si j'aimais comme une autre.
Adieu, Seigneur : je pars.

Mais Titus refuse d'épouser Domitie, jurant de rester fidèle au souvenir de Bérénice. Il ne supplie cependant pas la reine de rester, tant il a de respect et d'admiration pour la sublime décision qu'elle vient de prendre en plein triomphe. Se tournant vers son frère Domitian, il promet de lui léguer l'Empire, et il s'apprête, en compagnie de Bérénice, à aller trouver Domitie pour faire accepter à celle-ci l'idée d'épouser Domitian, qui l'aime.

Le dénouement de la pièce de Corneille fait appel au sentiment de l'honneur : comparez-en la nature avec la fin de la pièce de Racine.

D'après les extraits de Magnon et de Corneille, essayez de faire une analyse du personnage de Bérénice : caractéristiques, différences, ressemblances.

5. AU-DELÀ DES ŒUVRES : DEUX CONCEPTIONS DE LA TRAGÉDIE

Comme toujours, il convient de dépasser le stade de l'anecdote et de rechercher les raisons profondes qui ont pu pousser les deux grands dramaturges classiques à traiter d'un même sujet (il convient de leur adjoindre Magnon, qui avait fait jouer sa *Tite* en 1660). Pour cela, il faut essayer de comprendre les justifications profondes du sujet tragique chez les deux écrivains. Pour Racine on se reportera à sa Préface (voir pp. 27 à 30). Corneille a défini son système dans ses Préfaces et dans deux *Discours sur la tragédie,* publiés en 1660. Nous extrayons de ces derniers quatre passages qui peuvent servir à une analyse comparative des deux systèmes tragiques, et par conséquent à comparer les œuvres que nous citons par la suite.

5.1. NÉCESSAIRE ET VRAISEMBLABLE

Il faut que le poète traite son sujet selon le vraisemblable et le nécessaire, Aristote le dit, et tous ses interprètes répètent les mêmes mots, qui leur semblent si clairs et si intelligibles qu'aucun d'eux n'a daigné nous dire, non plus que lui, ce que c'est que ce vraisemblable et ce nécessaire. Beaucoup même ont si peu considéré ce dernier, qui accompagne toujours l'autre chez ce philosophe, hormis une seule fois, où il parle de la comédie, qu'on en est venu jusqu'à établir une maxime très fausse, qu'*il faut que le sujet d'une tragédie soit vraisemblable;* appliquant ainsi aux conditions du sujet la moitié de ce qu'il a dit de la manière de le traiter. Ce n'est pas qu'on ne puisse faire une tragédie d'un sujet purement vraisemblable : il en donne pour exemple *la Fleur* d'Agathon, où les noms et les choses étaient de pure invention, aussi bien qu'en la comédie; mais les grands sujets qui remuent fortement les passions, et en opposent l'impétuosité aux lois du devoir et aux tendresses du sang, doivent toujours aller au-delà du vraisemblable, et ne trouveraient aucune croyance parmi les auditeurs, s'ils n'étaient soutenus, ou par l'autorité de l'histoire qui persuade avec empire, ou par la préoccupation de l'opinion commune qui nous donne ces mêmes auditeurs déjà tous persuadés. Il n'est pas vraisemblable que Médée tue ses enfants, que Clytemnestre assassine son mari, qu'Oreste poignarde sa mère; mais l'histoire le dit, et la représentation de ces grands crimes ne trouve point d'incrédules. Il n'est ni vrai ni vraisemblable qu'Andromède, exposée à un monstre marin, ait été garantie de ce péril par un cavalier volant, qui avait des ailes aux pieds; mais c'est une fiction que l'Antiquité a reçue; et comme elle l'a transmise jusqu'à nous, personne ne s'en offense quand on la voit sur le théâtre. Il ne serait pas permis toutefois d'inventer sur ces exemples. Ce que la vérité ou l'opinion fait accepter serait rejeté, s'il n'avait point d'autre fondement qu'une ressemblance à cette vérité ou à cette opinion. C'est pourquoi notre docteur dit que *les sujets viennent de la fortune,* qui fait arriver les choses, *et non de l'art,* qui les imagine. Elle est maîtresse des événements, et le choix qu'elle nous donne de ceux qu'elle nous présente enveloppe une secrète défense d'entreprendre sur elle, et d'en produire sur la scène qui ne soient pas de sa façon.

Discours de l'utilité et des parties du poème dramatique, 1660.

5.2. AMOUR ET TRAGÉDIE

Lorsqu'on met sur la scène une simple intrigue d'amour entre des rois, et qu'ils ne courent aucun péril, ni de leur vie, ni de leur Etat, je ne crois pas que, bien que les personnes soient illustres, l'action le soit assez pour s'élever jusqu'à la tragédie. Sa dignité demande quelque grand intérêt d'Etat, ou quelque passion plus noble et plus mâle que l'amour, telles que sont l'ambition ou la vengeance, et veut donner à craindre des malheurs plus grands que la perte d'une maîtresse. Il est à propos d'y mêler l'amour, parce qu'il a toujours beaucoup d'agrément, et peut servir de fondement à ces intérêts, et à ces autres passions dont je parle ; mais il faut qu'il se contente du second rang dans le poème, et leur laisse le premier.

Cette maxime semblera nouvelle d'abord ; elle est toutefois de la pratique des anciens, chez qui nous ne voyons aucune tragédie où il n'y ait qu'un intérêt d'amour à démêler. Au contraire, ils l'en bannissaient souvent ; et ceux qui voudront considérer les miennes reconnaîtront qu'à leur exemple je ne lui ai jamais laissé y prendre le pas devant, et que dans *le Cid* même, qui est sans contredit la pièce la plus remplie d'amour que j'aie faite, le devoir de la naissance et le soin de l'honneur l'emportent sur toutes les tendresses qu'il inspire aux amants que j'y fais parler.

Je dirai plus. Bien qu'il y ait de grands intérêts d'Etat dans un poème, et que le soin qu'une personne royale doit avoir de sa gloire fasse taire sa passion, comme en *Dom Sanche,* s'il ne s'y rencontre point de péril de vie, de pertes d'Etats, ou de bannissement, je ne pense pas qu'il ait droit de prendre un nom plus relevé que celui de comédie ; mais pour répondre aucunement à la dignité des personnes dont celui-là représente les actions, je me suis hasardé d'y ajouter l'épithète d'*héroïque,* pour le distinguer d'avec les comédies ordinaires. Cela est sans exemple parmi les anciens ; mais aussi il est sans exemple parmi eux de mettre des rois sur le théâtre, sans quelqu'un de ces grands périls.

Discours de l'utilité et des parties du poème dramatique, 1660.

Montrez comment Racine utilise la passion comme un ressort dramatique. Essayez de définir l'opposition entre l'amour dans le roman et l'amour au théâtre.

5.3. LES NÉCESSITÉS DU GENRE TRAGIQUE

Il faut placer les actions où il est plus facile et mieux séant qu'elles arrivent, et les faire arriver dans un loisir raisonnable, sans les presser extraordinairement, si la nécessité de les renfermer dans un lieu et dans un jour ne nous y oblige. J'ai déjà fait voir en l'autre Discours que pour conserver l'unité de lieu nous faisons parler souvent des personnes dans une place publique, qui vraisemblablement s'entretiendraient dans une chambre ; et je m'assure que si on racontait dans un roman ce que je fais arriver dans *le Cid,* dans *Polyeucte,* dans *Pompée,* ou dans *le Menteur,* on lui donnerait un peu plus d'un jour pour l'étendue de sa durée. L'obéissance que nous devons aux règles de l'unité de jour et de lieu nous dispense alors du vraisemblable, bien qu'elle ne nous permette pas l'impossible; mais nous ne tombons pas toujours dans cette nécessité; et *la Suivante, Cinna, Théodore* et *Nicomède* n'ont point eu besoin de s'écarter de la vraisemblance à l'égard du temps, comme ces autres poèmes.

Cette réduction de la tragédie au roman est la pierre de touche pour démêler les actions nécessaires d'avec les vraisemblables. Nous sommes gênés au théâtre par le lieu, par le temps, et par les incommodités de la représentation, qui nous empêchent d'exposer à la vue beaucoup de personnages tout à la fois, de peur que les uns ne demeurent sans action, ou troublent celle des autres. Le roman n'a aucune de ces contraintes : il donne aux actions qu'il décrit tout le loisir qu'il leur faut pour arriver; il place ceux qu'il fait parler, agir ou rêver, dans une chambre, dans une forêt, en place publique, selon qu'il est plus à propos pour leur action particulière; il a pour cela tout un palais, toute une ville, tout un royaume, toute la terre, où les promener; et s'il fait arriver ou raconter quelque chose en présence de trente personnes, il en peut décrire les divers sentiments l'un après l'autre. C'est pourquoi il n'a jamais aucune liberté de se départir de la vraisemblance, parce qu'il n'a jamais aucune raison ni excuse légitime pour s'en écarter. Comme le théâtre ne nous laisse pas tant de facilité de réduire tout dans le vraisemblable, parce qu'il ne nous fait rien savoir que par des gens qu'il expose à la vue de l'auditeur en peu de temps, il nous en dispense aussi plus aisément. On peut soutenir que ce n'est pas tant nous en dispenser que nous permettre une vraisemblance plus large; mais puisque Aristote nous autorise à y traiter les choses selon le nécessaire, j'aime mieux dire que tout ce qui s'y passe d'une autre façon qu'il ne se passerait dans un roman n'a point de vraisemblance, à le bien prendre, et se doit ranger entre les actions nécessaires.

Discours de la tragédie et des moyens de la traiter selon le vraisemblable et le nécessaire, 1660.

Corneille parle des « nécessités » du genre dramatique : montrez comment Racine a su habilement résoudre ce problème, et comparez ce point avec les difficultés éprouvées par l'auteur du *Cid* pour observer les lois dramatiques.

5.4. TRAGI-COMÉDIE ET TRAGÉDIE À FIN HEUREUSE

Il ne nous reste plus à considérer de cette fable[1] que la fin, qui en est heureuse. Cette issue tranquille de tant de troubles et d'incidents malheureux, cette conclusion paisible de la plupart

1. *L'Amour tyrannique*. Sarasin explique, dans les pages suivantes, que Scudéry a appelé cette pièce tragi-comédie, parce qu'il « aime mieux s'accommoder à l'usage que de s'attacher avec trop de scrupule à la souveraine raison ».

des poèmes tragiques de notre théâtre, et qui semble tenir quelque chose de la fin de la comédie, a fait trouver le nom de *tragi-comédie* à nos poètes. Quelques-uns d'entre eux se sont persuadé que, si la conclusion d'un ouvrage de cette nature n'était point ensanglantée, il ne pouvait pas s'appeler tragique. Pour cela, ils ont allié deux choses toutes contraires; ils ont fait un monstre de deux natures excellentes, ils ont oublié les premiers préceptes de leur maître :

Sed non ut placidis coeant immitia, non ut
Serpentes avibus geminentur, tigribus agni[2].

Aristote, qui met l'issue heureuse parmi le dénombrement des fins de la tragédie[3], ne nous donne pas lieu d'être de leur opinion. Les exemples d'*Alceste,* des deux *Iphigénie,* d'*Io* et d'*Hélène*[4] aident et confirment la nôtre. Et quoique la plupart des tragédies versent du sang sur la scène et s'achèvent par quelque mort, il ne faut pas pour cela conclure que la fin de tous ces poèmes doive être funeste. Mais surtout il faut bien s'empêcher d'y mêler rien de comique.

Discours sur la tragédie, ou Remarques sur « l'Amour tyrannique » de Monsieur de Scudéry, 1639.

2. « Mais il ne faut point mêler violence et tranquillité; que les serpents ne s'accouplent pas aux oiseaux, ni les agneaux aux tigres » (HORACE, *Art poétique,* v. 12-13); 3. Interprétation erronée du chapitre XIII de la *Poétique,* où Aristote exprime une idée apparemment tout opposée; 4. Tragédies d'Euripide.

JUGEMENTS SUR « BÉRÉNICE »

XVIIᵉ SIÈCLE

On a vu dans la Notice, page 11, et dans les notes de la Préface, pages 29-30, un certain nombre des critiques que l'abbé de Villars formula (janvier 1671) contre Bérénice. *Il reproche surtout à l'ensemble de la pièce de manquer d'action et d'être plus lyrique que dramatique.*

L'auteur a trouvé à propos, pour s'éloigner du genre d'écrire de Corneille, de faire une pièce de théâtre qui, depuis le commencement jusqu'à la fin, n'est qu'un tissu galant de madrigaux et d'élégies. Il ne faut donc pas s'étonner s'il ne s'est pas mis en peine de la liaison des scènes, s'il a laissé plusieurs fois le théâtre vide et si la plupart des scènes sont peu nécessaires. Le moyen d'ajuster tant d'élégies et de madrigaux ensemble, avec la même suite que si l'on eût voulu faire une comédie dans les règles!

Abbé de Villars,
Critique de « Bérénice » (1671).

Ainsi, par un curieux paradoxe, un « docte », défenseur de la tragédie régulière, chicanait Racine sur cette simplicité de l'action, que le poète prétendait être un des éléments nécessaires du genre. Quant au public, peu soucieux des problèmes de technique dramatique, il juge la pièce d'après les sentiments qu'elle lui fait éprouver. De ce point de vue, la correspondance entre Mᵐᵉ Bossuet *(belle-sœur du prélat) et Bussy-Rabutin est significative.*

Je suis très fâchée de ne pouvoir vous envoyer la *Bérénice* de Racine; je l'attends de Paris; je suis assurée qu'elle vous plaira; mais il faut pour cela que vous soyez en goût de tendresse, je dis de la plus fine, car jamais femme n'a poussé si loin l'amour et la délicatesse qu'a fait celle-là. Mon Dieu! la jolie maîtresse! et que c'est grand dommage qu'un seul personnage ne puisse faire une bonne pièce! La tragédie de Racine serait parfaite.

Mᵐᵉ Bossuet,
Lettre au comte Bussy-Rabutin (28 juillet 1671).

Vous m'aviez préparé à tant de tendresse que je n'en ai pas tant trouvé. Du temps que je me mêlais d'en avoir, il me souvient que j'eusse donné là-dessus le reste à Bérénice. Cependant il me paraît que Titus ne l'aime pas tant qu'il le dit, puisqu'il ne fait aucun effort en sa faveur à l'égard du sénat et du peuple romain.

Bussy-Rabutin,
Réponse à Mᵐᵉ Bossuet.

Il faut avoir poussé la tendresse bien loin pour trouver qu'on en aurait plus que Bérénice. Je vous en loue et révère.

Mme Bossuet,
Réponse à Bussy-Rabutin.

XVIIIe SIÈCLE

Admirateur de Racine, Voltaire voit cependant dans Bérénice *une des pièces les plus faibles du poète : mais il incrimine le sujet, sans mettre en cause l'art de Racine, qu'il justifie — précisément à propos d'une citation de* Bérénice *— dans une lettre à Horace Walpole.*

Je n'ai jamais cru que la tragédie dût être à l'eau-rose; l'églogue en dialogue intitulée *Bérénice* [...] était indigne du théâtre tragique; aussi Corneille n'en fit-il qu'un ouvrage ridicule; et ce grand maître Racine eut beaucoup de peine, avec tous les charmes de sa diction éloquente, à sauver la stérile petitesse du sujet.

Voltaire,
Lettre-préface des « Pélopides » (tragédie posthume).

Vous sentez si bien, Monsieur, à quel point le trivial et le bas défigurent la tragédie, que vous reprochez à Racine de faire dire à Antiochus dans *Bérénice* (vers 7-8) :

De son appartement cette porte est prochaine,
Et cette autre conduit dans celui de la reine.

Ce ne sont pas là certainement des vers héroïques; mais ayez la bonté d'observer qu'ils sont dans une scène d'exposition, laquelle doit être simple. Ce n'est pas là une beauté de poésie; mais c'est une beauté d'exactitude qui fixe le lieu de la scène, qui met tout d'un coup le spectateur au fait, et qui l'avertit que tous les personnages paraîtront dans ce cabinet, lequel est commun aux autres appartements; sans quoi il ne serait point vraisemblable que Titus, Bérénice et Antiochus parlassent toujours dans la même chambre.

Voltaire,
Lettre à Horace Walpole (15 juillet 1768).

Quant à J.-J. Rousseau, il prend Bérénice *pour exemple afin de démontrer que la tragédie racinienne est incapable de « purger » les passions.*

Dans quelle disposition d'esprit le spectateur voit-il commencer la pièce? Dans un sentiment de mépris pour la faiblesse d'un empereur et d'un Romain, qui balance comme le dernier des hommes entre sa maîtresse et son devoir; qui, flottant incessamment dans une déshonorante incertitude, avilit par des plaintes efféminées ce caractère presque divin que lui donne l'histoire; qui fait chercher dans un vil soupirant de ruelle le bienfaiteur du monde et les délices du genre humain. Qu'en pense le même spectateur après la représentation? Il finit par plaindre cet homme sensible qu'il méprisait, par s'intéresser à cette même passion dont il lui faisait un crime, par murmurer en secret du sacrifice qu'il est forcé d'en faire aux lois de la patrie. Voilà ce que chacun de nous éprouvait à la représentation. Le rôle de Titus, très bien rendu, eût fait de l'effet, s'il eût été plus digne de lui; mais tous sentaient que l'intérêt principal était pour Bérénice, et que c'était le sort de son amour qui déterminait l'espèce de catastrophe. Non que ses plaintes continuelles donnassent une grande émotion durant le cours de la pièce, mais au cinquième acte, où, cessant de se plaindre, l'air morne, l'œil sec et la voix éteinte, elle faisait parler une douleur froide approchante du désespoir, l'art de l'actrice ajoutait au pathétique du rôle, et les spectateurs, vivement touchés, commençaient à pleurer quand Bérénice ne pleurait plus. Que signifie cela, sinon qu'on tremblait qu'elle ne fût renvoyée, qu'on sentait d'avance la douleur dont son cœur serait pénétré, et que chacun aurait voulu que Titus se laissât vaincre, mais au risque de l'en moins estimer? Ne voilà-t-il pas une tragédie qui a bien rempli son objet, et qui a bien appris aux spectateurs à surmonter les faiblesses de l'amour?

J.-J. Rousseau,
Lettre à d'Alembert (1758).

XIXe SIÈCLE

La simplicité de l'action dans Bérénice *suffit-elle à soutenir l'intérêt dramatique? Le jeu des passions compense-t-il l'absence de péripéties? Ces questions, que se posent les critiques du XIXe siècle, sont déjà celles que se posaient les contemporains de Racine. Il va de soi que les partisans du drame romantique répondaient par la négative à ces questions et pouvaient citer* Bérénice *comme l'exemple le plus évident des artifices auxquels était réduite la tragédie classique. Mais même après 1840, Sainte-Beuve et Théophile Gautier, qui se prétendent revenus de leurs illusions romantiques, ne peuvent s'empêcher de voir dans* Bérénice *une pièce qui manque de force dramatique.*

Au milieu de l'ensemble si magnifique et si harmonieux de l'œuvre de Racine, *Bérénice* a droit de compter pour beaucoup. Certes, nous n'irions pas l'élever au nombre de ses chefs-d'œuvre. *Bérénice* ne saurait se citer auprès de ces cinq productions hors de pair : *Athalie, Iphigénie, Andromaque, Phèdre* et *Britannicus;* elle ne soutiendrait même pas le parallèle avec les autres pièces relativement secondaires, telles que *Mithridate* et *Bajazet*, et pourtant elle a sa grâce bien particulière, son cachet racinien. Je distinguerais dans les ouvrages de tout grand auteur ceux qu'il a faits selon son goût propre, et son faible, et ceux dans lesquels le travail et l'effort l'ont porté à un idéal supérieur. *Bérénice*, bien que commandée par Madame, me semble tout à fait dans le goût secret et selon la pente naturelle de Racine; c'est du Racine pur, un peu faible si l'on veut, du Racine qui s'abandonne, qui oublie Boileau.

Sainte-Beuve,
Portraits littéraires (t. I) [1844].

Bérénice, à vrai dire, n'est pas une tragédie : il n'y coule que des pleurs et point de sang. C'est une élégie dramatique qui renferme des morceaux pleins d'une grâce un peu molle et d'une sensibilité un peu larmoyante.

Théophile Gautier,
l'Art dramatique en France depuis vingt-cinq ans (3e série) [1858].

XXe SIÈCLE

Au début du XXe siècle, il y a un renouveau dans les études raciniennes; on essaie également de rajeunir l'interprétation des personnages. L'actrice Julia Bartet conçoit le rôle de Bérénice comme celui d'une femme passionnée.

C'est à tort qu'on affadit le rôle de la reine de Palestine, qui ne doit pas être joué comme une princesse de Clèves.

Julia Bartet,
Lettre (4 février 1912).

Les critiques, de leur côté, découvrent qu'il ne faut pas prendre au pied de la lettre la fameuse formule de Racine lui-même, « faire quelque chose de rien », et que Bérénice *comporte, aux points de vue dramatique, psychologique, historique, autant de richesse que les autres œuvres du poète.*

Pourquoi a-t-on pris l'habitude d'appeler *Bérénice* une élégie divine? C'est, bel et bien, une divine tragédie. Il est vrai qu'elle est fort simple et que toutes les situations y sont uniquement provoquées par les sentiments des personnages, et sans nulle intervention d'un hasard artificieux : ce dont nous ne nous plaindrons point. Mais, au reste, tout y est « action »; chaque scène nous révèle, chez les personnages, un « état d'âme » qui ne nous avait pas encore été pleinement montré, et les laisse dans une disposition en partie nouvelle; le mouvement est continu, et l'intérêt est des plus puissants, puisque ce qu'on nous raconte, c'est l'histoire éternelle de la séparation des cœurs aimants. Oui, c'est bien un drame, harmonieux, délicieusement, infiniment douloureux.

Jules Lemaitre,
Jean Racine (1908).

C'est Racine qui a accepté de traiter le conflit politique dans sa pureté et sa simplicité. C'est à Corneille que le conflit politique n'a pu suffire, c'est lui qui a inventé le personnage de Domitie, qui l'a mêlé activement à l'action, alors que le personnage d'Antiochus chez Racine est tout passif, qu'il n'exerce aucune influence sur la marche des événements et qu'il ne fait entendre en marge du conflit qu'une élégie latérale. C'est Corneille qui a embrouillé et modifié à contre-fil les conditions politiques du drame. C'est Racine qui les a acceptées et qui en a tout tiré.

Lucien Dubech,
Jean Racine politique (1926).

Racine a osé montrer que le dialogue de l'amour est fait de deux monologues qui s'ignorent mutuellement, car chacun des êtres qui les prononcent ne pense qu'à soi. [...] Les plus innocents de ces malheureux, Antiochus et Bérénice, ne sont pas les moins cruels. Il semble que la suavité de la poésie ne soit là que pour rendre la vérité plus atroce.

André Rousseaux,
le Monde classique (tome I) [1941].

Bérénice est une tragédie de la raison d'État, où des destinées individuelles sont sacrifiées à des nécessités politiques. Mais le sacrifice a ceci d'étrange qu'il n'est pas subi [...] : il est appelé. Une sorte de mystique de la raison d'État emporte celui qui en est la victime, si bien que cet écrasement du héros deviendrait bien plutôt son apothéose.

Raymond Picard,
avant-propos de *Bérénice*,
Œuvres complètes de Racine (1950).

En revanche, certaines opinions restent franchement défavorables et insistent d'autant plus sur le caractère artificiel et creux de l'œuvre que d'autres en font l'éloge.

Ennui écrasant. Ce marivaudage sentimental, cette casuistique inépuisable sur l'amour, est ce que je déteste le plus dans la littérature française. Le tout, dans un ronron élégant et gris, aussi éloigné de notre français vulgaire et gaillard que du turc et de l'abyssin. C'est distingué et assommant.

Paul Claudel,
Journal intime (à la date de 1935).

Comparé à *Andromaque* et à *Britannicus*, l'*invitus invitam* en cinq actes reste une œuvre de petite zone, un jeu de cour, une prouesse de salon [...]. *Bérénice*, tragédie amortie, est au fond une tragédie orgueilleuse. Elle s'offre en témoignage. Elle s'érige en exemple. Elle vous propose l'exploit d'un homme de goût, de science et de talent, soucieux de faire valoir ce que peut l'art dans la simplicité. Aucune exigence profonde de création, aucune intimité de souffrance avec les personnages. De la distinction pure et du soin. Quelque chose comme un devoir de concours général ou un grand prix d'élégance racinienne.

Pierre Brisson,
les Deux Visages de Racine (1944).

Le jugement suivant résume bien les différents aspects d'une œuvre, qui, tout en conservant certains traits généraux de la morale et de la psychologie raciniennes, n'en est pas moins singulière par sa structure dramatique.

On discerne dans *Bérénice* une gageure et comme un défi. Racine a voulu pousser à l'extrême limite non pas exactement sa doctrine de la tragédie, mais un aspect particulier de cette doctrine, la simplicité de l'action. [...]

Il prétendait contredire sur ce point la pratique habituelle de Corneille. Sa conception des caractères ne s'opposait pas moins à celle de son rival. Plus encore que dans les pièces précédentes, les personnages de *Bérénice* sont livrés à leur faiblesse et à leur indécision. [...]

L'œuvre était donc d'une vérité cruelle. Racine osait mettre sur la scène le drame d'une rupture, les récriminations, les affolements, les honteuses excuses. Bérénice se laissait aller à des paroles rageuses (vers 1175 sqq.). Dans sa dernière rencontre avec Titus, elle se jetait vers la porte pour s'enfuir, se heurtait à l'empereur qui, non moins éperdu, lui barrait la route. Elle se laissait enfin tomber, défaillante, sur un siège. L'admirable redressement de la fin, ce calme retrouvé, cette fière mélancolie des adieux ne réussissent pas à faire oublier les défaillances qui les ont précédés.

La jeunesse de la cour, les femmes furent sensibles à cette vérité. Elles le furent aussi à tant de plaintes déchirantes, à cette tristesse majestueuse, à la douleur de ces âmes vouées à l'amour. [...]

Nous sommes aujourd'hui moins prompts à nous attendrir, et cette tragédie ne nous paraît plus le chef-d'œuvre de Racine. Nous dirions plus volontiers qu'elle représente de sa part une erreur. Il n'est certes pas vrai que *Bérénice* soit, comme disait l'abbé de Villars, un « tissu galant de madrigaux et d'élégies », et l'amour de Titus, de la reine, d'Antiochus même, a tous les emportements d'une passion tragique. Mais l'on sent trop que la pièce était une gageure, et que le génie même de Racine ne put la tenir.

Antoine Adam,
Histoire de la littérature française au XVIIe siècle
(tome IV) [1954].

SUJETS DE DEVOIRS ET D'EXPOSÉS

LETTRES ET DIALOGUES

● *Dialogue de Corneille et de Molière sur « Bérénice ».* — Molière, directeur de la troupe du Palais-Royal, et Corneille sont curieux de connaître la tragédie de Racine et inquiets du succès de celle qu'ils préparent; ils se sont rendus à la première de *Bérénice* (21 novembre 1670). A l'issue de la représentation, ils échangent, dans un dialogue, leurs impressions, et leurs espoirs mêlés d'une vague appréhension.

● *Lettre de Boileau à Racine avant la représentation de « Bérénice ».* — Boileau, d'après l'abbé Du Bos (*Réflexions critiques*, 1719), aurait conseillé à Racine de ne pas traiter le sujet de *Bérénice*. Il le met en garde, dans la lettre que vous composerez, contre les dangers d'un sujet plus *élégiaque* que *tragique*.

● *Lettre de Boileau à Racine après la représentation.* — Il reconnaît que la pièce a touché les spectateurs et méritait son succès par son charme particulier, qu'il s'attache à définir; mais il craint que cette tragédie, qui lui semble l'effet d'une gageure, ne soit pas l'œuvre la plus vigoureuse de Racine; il lui conseille de revenir à des sujets plus franchement tragiques.

● *Lettre du Grand Condé à Racine.* — Il le félicite d'un succès auquel pour sa part il applaudit sans les réserves que les admirateurs eux-mêmes du poète se croient tenus de formuler; il l'invite à Chantilly.

● *« Bérénice » à Potsdam.* — « J'ai vu, dit Voltaire (lettre à l'Académie française, en tête d'*Irène*), le roi de Prusse attendri à une simple lecture de *Bérénice* qu'on faisait devant lui en prononçant les vers comme on doit les prononcer. [...] Quel charme tira des larmes des yeux de ce héros philosophe? La seule magie du style de ce vrai poète, *qui invenit verba quibus deberent loqui* [qui trouva les mots qu'il fallait]. » C'était sans doute Voltaire lui-même qui avait fait cette lecture; on connaît, par ailleurs, son sentiment sur « la tragédie à l'eau-rose » (v. les Jugements); enfin, l'attendrissement de Frédéric II ne dut pas être de longue durée. — On imaginera un dialogue entre le roi et le poète sur les mérites et les défauts de la pièce (1750).

EXPOSÉS ET DISSERTATIONS

● Racine, à ce que rapporte l'abbé Du Bos (*Réflexions critiques*, 1719), donnait à entendre qu'il aimait mieux *Bérénice* que toutes ses autres tragédies profanes. Demandez-vous pourquoi.

● Comparez les deux tragédies romaines de Racine : *Britannicus* et *Bérénice*.

● Est-il exact de dire, avec J. Lemaitre (*Jean Racine*, 1908), que *Bérénice* est la tragédie « où Racine s'est le moins soucié de couleur locale, ou même de couleur historique (sauf pour préciser l'obstacle qui sépare Titus de sa maîtresse) »?

● Dans quelle mesure peut-on reconnaître dans *Bérénice*, comme dans *Andromaque*, l'influence de Virgile?

● « Qu'importaient à la France *Esther* et *Bérénice?* » a dit Marie-Joseph Chénier *(De la liberté du théâtre en France)*. Ce dédain est-il justifié? Quel est le charme de ces « élégies » dramatiques, l'une romaine, l'autre juive?

● Examinez ce jugement de Marmontel (XVIIIe siècle) : « Les pièces de Racine les mieux écrites sont les plus faibles du côté de l'action, comme *Athalie* et *Bérénice*. »

● Examinez ce jugement de Luneau de Boisjermain dans son *Commentaire* de Racine (1768) : « On ne saurait trop admirer Racine qui, par le flux et le reflux des sentiments du cœur, a su intéresser pendant cinq actes dans une pièce sans action. »

● Expliquez et discutez le jugement de Rousseau sur la valeur morale de *Bérénice* (voir les Jugements).

● Comparez la *Bérénice* de Racine et *la Princesse de Clèves* de Mme de La Fayette (1678).

● La psychologie de l'amour dans Racine d'après *Bérénice*.

● Comparez les caractères d'Hermione et de Bérénice.

● La mélancolie dans le théâtre de Racine : comparez Oreste et Antiochus, héros prédestinés pour le malheur.

● L'amant malheureux chez Corneille et chez Racine : Sévère et Antiochus.

● Montrez l'utilité dramatique du personnage d'Antiochus.

● Dans quelle mesure *Bérénice* est-elle une image du XVIIe siècle par sa conformité avec les mœurs et le langage du temps? Sa portée générale en est-elle diminuée?

● Définissez la poétique de Racine telle qu'elle ressort de la Préface et montrez-en l'application dans l'œuvre.

TABLE DES MATIÈRES

	Pages
Résumé chronologique de la vie de Racine	4
Racine et son temps	6
Bibliographie sommaire	8
Notice sur « Bérénice »	9
Lexique du vocabulaire de Racine	23
Epître dédicatoire	25
Préface de « Bérénice »	27
Premier acte	33
Deuxième acte	49
Troisième acte	65
Quatrième acte	80
Cinquième acte	96
Documentation thématique	111
Jugements sur « Bérénice »	132
Sujets de devoirs et d'exposés	138

IMPRIMERIE HÉRISSEY. — 27000 - ÉVREUX.
Mars 1971. — Dépôt légal 1971-1er. — N° 23688. — N° de série Éditeur 9403.
IMPRIMÉ EN FRANCE *(Printed in France)*. — 34 781 X-7-79.